Die

REGELN

neue

UND BEISPIELE

Recht-

IM ÜBERBLICK

schreibung

Cornelsen

1	**Schärfung**	**5**
	Schreibweisen nach kurzen Vokalen*	5
2	**Dehnung**	**6**
2.1	Schreibweisen langer Vokale: *a – aa, e – ee, o – oo, u*	6
2.2	Schreibweisen langer Vokale: Dehnungs-*h*	6
2.3	Schreibweisen langer Vokale: *ur-, -bar, -sal, -sam, -tum*	7
2.4	Schreibweisen langer Vokale: *ie, i, ih, ieh*	7
2.5	Schreibweisen langer Vokale: *ei – ai*	7
3	**Umlaute**	**8**
	Die Umlaute *ä* und *äu*	8
4	**s-Laute**	**9**
4.1	Schreibung: *ss*	9
4.2	Schreibung: *ß*	9
4.3	Schreibung: *s*	9
5	**Groß- und Kleinschreibung**	**10**
5.1	Satzanfang und wörtliche Rede	10
5.2	Titel und Überschriften	10
5.3	Eigennamen	10
5.4	Nomen/Substantive	10
5.5	Als Nomen/Substantive gebrauchte Wörter	11
5.6	Nomen/Substantive auf *-heit, -keit, -nis, -schaft, -tum, -ung*	13
5.7	Herkunftsbezeichnungen	14
5.8	Bezeichnungen für Farben und Sprachen	14
5.9	Zeitangaben	14
5.10	Zahlwörter	15
5.11	Verbindungen mit *Mal* und *-mal(s)*	16
5.12	Anredepronomen: *Sie – du*	16
6	**Zusammen- und Getrenntschreibung**	**17**
6.1	Wortzusammensetzungen	17
6.2	Zusammenschreibung in Verbindungen mit Verben	18
6.2.1	Untrennbare (feste) Zusammensetzungen mit Verben	18
6.2.2	Trennbare (unfeste) Zusammensetzungen mit Verben	19
6.3	Getrenntschreibung in Verbindungen mit Verben	20
6.3.1	Nomen/Substantiv + Verb	20
6.3.2	Infinitiv + Verb, Partizip + Verb	20
6.3.3	Verbindungen mit dem Verb *sein*	20
6.3.4	Wortgruppen aus Adjektiv + Verb	21
6.3.5	Wortgruppen aus Adjektiven auf *-ig, -isch, -lich* + Verb	21
6.3.6	Wortgruppen aus zusammengesetztem Adverb + Verb	21

---

* Deutsche Fachausdrücke: vgl. hintere Umschlagseite.

6.4   Getrennt- oder Zusammenschreibung in Verbindungen mit Verben 21
6.4.1 Infinitive mit *zu* 21
6.4.2 Verbindungen mit *zusammen* + Verb 22
6.4.3 Verbindungen mit Verben
       in unterschiedlichen Bedeutungszusammenhängen 22
6.5   Zusammenschreibung in Verbindungen mit Adjektiven 24
6.5.1 Unselbstständiger Wortteil + Adjektiv 24
6.5.2 Gleichrangige Adjektive, bedeutungsbetonende Teile + Adjektiv 24
6.6   Getrenntschreibung in Verbindungen mit Adjektiven 24
6.6.1 Adjektive auf *-ig, -isch, -lich* + Adjektiv 24
6.6.2 Partizip + Adjektiv 24
6.6.3 Erweiterbare und steigerbare Teile in Wortgruppen mit Adjektiv/Partizip 25
6.6.4 Zu Wortgruppen erweiterte Adjektivteile 25

7   **Worttrennung** **26**

8   **Fremdwörter** **27**
8.1   Bevorzugte und erlaubte Schreibweisen bei Fremdwörtern 27
8.2   Schreibweisen der Laute *f* und *t* in Fremdwörtern 28
8.3   Schreibweisen nach kurzen Vokalen in Fremdwörtern 29
8.4   Schreibweisen langer Vokale in Fremdwörtern: *i – ie* 29
8.5   Aus Nomen/Substantiven zusammengesetzte Fremdwörter 29
8.6   Worttrennung bei Fremdwörtern 30

9   **Zeichen setzen** **31**
9.1   Schlusszeichen: Punkt, Ausrufezeichen, Fragezeichen 31
9.2   Komma zwischen Hauptsätzen 31
9.3   Komma zwischen Haupt- und Nebensatz 32
9.4   Komma bei Aufzählungen 32
9.5   Komma bei Infinitivgruppen 33
9.6   Komma bei Partizipgruppen 34
9.7   Komma bei angekündigten Infinitiv-, Partizip- und anderen Wortgruppen 34
9.8   Komma bei Adjektivgruppen 35
9.9   Komma bei Appositionen 35
9.10   Komma bei nachgestellten Erläuterungen 35
9.11   Komma bei Einschüben 36
9.12   Komma bei Orts- und Zeitangaben 36
9.13   Komma bei Anreden, Ausrufen
       und besonders hervorgehobenen Stellungnahmen 36
9.14   Semikolon 37
9.15   Gedankenstrich 37
9.16   Klammern 38
9.17   Bindestrich 39
9.18   Ergänzungsstrich 40
9.19   Apostroph 40
9.20   Punkt als Abkürzungszeichen 40
9.21   Zeichensetzung bei der wörtlichen Rede 41
9.22   Anführungszeichen bei Titeln 42

| 4 | **Was bisher galt** | **43** |

Auf einen Blick: Verzeichnis von Wörtern und Wortgruppen mit neuer Rechtschreibung   **50**

Grammatikbegriffe lateinisch – deutsch 81

Der Pfeil ▶ mit der sich anschließenden Seitenzahl verweist auf den Anhang „Was bisher galt", in dem alte und neue Regelungen in Kurzform gegenübergestellt werden.

Schreibweisen nach kurzen Vokalen ▶ 43

Nach einem betonten kurzen Vokal schreibt man (meist) zwei Konsonantenbuchstaben:
– zwei verschiedene:

Ke rn e   *we lk en*   *Bä nd er*   *Ne st er*

– oder einen verdoppelten:

Ka rr e   *Ma tt e*   *Nä ss e*   *ho ff en*

ki pp en   *Ti pp*   *Wa ss er*   *Mo pp*

A ss   *Karame ll*   *Ste pp tanz*   *To ll patsch*

Die Buchstaben **k** und **z** werden nicht verdoppelt (Ausnahme: in Fremdwörtern, vgl. S.29). Stattdessen schreibt man *ck* und *tz*:

He ck e   *Hi tz e*   *Da ck el*   *Gla tz e*

we ck en   *schwi tz en*   *Fa ck el*   *pla tz en*

Manchmal schreibt man nach einem betonten kurzen Vokal nur einen einzigen Konsonantenbuchstaben:

ab   *an*   *bis*   *Bus*

Chef   *Hotel*   *von*   *was*

Und manchmal wird der Konsonant verdoppelt, obwohl der vorausgehende Vokal nicht betont ist:

fri tt ieren   *Gra mm atik*   *A ll ee*   *Karu ss ell*

2.1   Schreibweisen langer Vokale: *a – aa, e – ee, o – oo, u*   ▶ 43

Die betonten langen Vokale *a, e, o, u* schreibt man oft mit dem einzelnen Buchstaben:

Rat	Segen	Not	tun
Bad	Besen	rot	Glut
Tat	lesen	Brot	Blut
plagen	weben	grob	gut

Manchmal schreibt man auch die Doppelbuchstaben *aa, ee, oo* (Doppel-*u* gibt es nicht):

Saal	Beet	Boot
Waage	Teer	Moor
Aal	Seele	Moos
Saat	Beere	Zoo

Bitte unterscheiden!

Rede – Reede	Wagen – Waagen	selig – Seele
	etwas wagen	

2.2   Schreibweisen langer Vokale: Dehnungs-*h*

Ein langer Vokal kann durch das Dehnungs-*h* gekennzeichnet werden. Das Dehnungs-*h* steht sehr oft vor *l, m, n, r*:

zahlen	nehmen	Lohn	Fuhre
Wähler	Lehm	Söhne	rühren

Nicht immer steht zwischen einem langen Vokal und *l, m, n, r*, ein Dehnungs-*h*:

schmal	Rom	Ton	Spur
verschmälern	römisch	Tönchen	spüren

Bitte unterscheiden!

dehnen – denen	wahr – (er) war	lehren – leeren
Mahl – Mal	währen – (sie) wären	mehr – Meer
Sohle – Sole	mahlen – malen	Wahl – Wal

2.3 Schreibweisen langer Vokale: ur-, -bar, -sal, -sam, -tum

Das Präfix *ur-* und die Suffixe *-bar, -sal, -sam, -tum* werden ohne Dehnungs-*h* geschrieben:

Urwald	*trinkbar*	*Schicksal*	*mühsam*	*Wachstum*
uralt	*verfügbar*	*Mühsal*	*furchtsam*	*Brauchtum*

2.4 Schreibweisen langer Vokale: ie, i, ih, ieh

Das lange *i* wird häufig durch *ie*, manchmal durch *i* und selten durch *ih* und *ieh* wiedergegeben:

Diebe	*Biber*	*ihr*	*Vieh*
lieben	*dir*	*ihm*	*fliehen*
hier	*wir*	*ihnen*	*ziehen*

Bitte unterscheiden!

Fieber – Fiber	*Lied – Lid*	*Miene – Mine*	*Stiel – Stil*
wieder – wider			

2.5 Schreibweisen langer Vokale: ei – ai

Nur wenige Wörter werden mit *ai* geschrieben, z.B.:

Hai	*Mai*	*Kai*	*Kaiser*
Kain	*Mainz*	*Mais*	*Quai*
Mailand	*Thailand*	*Bai*	*Saite*
Laie	*Laib*	*laichen*	*Waise*

Bitte unterscheiden!

bei – Bai	*Seite – Saite*	*Laien – leihen*	*Leib – Laib*
Leichen – laichen	*Weise – Waise*		

Die Umlaute *ä* und *äu*   ▶ 43

Der Vokal *a* und der Diphthong *au* in einem Wortstamm oder Grundwort können in Ableitungen und Zusammensetzungen zu *ä* bzw. *äu* umgelautet werden:

Angst:	*Ängste – ängstlich – Ängstlichkeit*
Auge:	*Äuglein – äugen – beäugen*
Fall:	*Fälle – fällen – Holzfäller*
blau:	*bläulich – einbläuen – verbläuen*
Band:	*Bänder – Bändel*
Hand:	*Händchen – behände*
Lamm:	*Lämmchen – belämmert*
Stange:	*Stängel – Gestänge*
Schnauze:	*(sich) schnäuzen*
Gams:	*Gämse*
Quantum:	*Quäntchen*
Überschwang:	*überschwänglich*
Grauen:	*Gräuel – gräulich*

Bitte unterscheiden!

Schlegel (Keule, z.B. vom Hirsch)	*Schlägel* (Schlagwerkzeug, Hammer)
schmelzen (zum Zerfließen bringen)	*schmälzen* (mit Schmalz einfetten)
Blesse (weißer Stirnfleck)	*Blässe* (von *blass*)
Lerche (Vogel)	*Lärche* (Nadelbaum)
Esche (Laubbaum)	*Äsche* (Süßwasserfisch)
Feld	*(er) fällt*
Felle	*Fälle*
Ehre	*Ähre*

Bitte wählen!

Man kann *Schenke* oder *Schänke*, *aufwendig* oder *aufwändig* schreiben:

Schenke zu *ausschenken*	*Schänke* zu *Ausschank*
aufwendig zu *aufwenden*	*aufwändig* zu *Aufwand*

4.1 Schreibung: ss   ▶ 44

Folgt einem betonten **kurzen** Vokal ein stimmloser s-Laut, schreibt man *ss*:

im Wortinnern	vor Konsonant	am Wortende
küssen	*sie küsst*	*Kuss*
hassen	*er hasst*	*Hass*
passen	*es passt*	*Pass*

(Ausnahme: Wörter auf *-nis*, *-as*, *-is*, *-os*, *-us*: *Zeugnis, Atlas, Iltis, Albatros, Globus*)

4.2 Schreibung: ß

Folgt einem betonten **langen** Vokal oder einem Diphthong ein stimmloser s-Laut, schreibt man *ß* (wenn im Wortstamm kein weiterer Konsonant folgt):

im Wortinnern	vor Konsonant	am Wortende
grüßen	*sie grüßt*	*Gruß*
fließen	*es fließt*	*Floß*

 Bitte unterscheiden: *Masse – Maße*

4.3 Schreibung: s

In allen anderen Fällen schreibt man *s*:

im Wortinnern für den stimmhaften s-Laut nach betontem langem Vokal/Diphthong	vor Konsonant und am Wortende, wenn im Wortstamm oder in verlänger-ten Formen s steht	in Verbindung mit einem anderen Konsonanten (Schärfung)		
lesen	*sie liest, er las*	*st*	*sk*	*sp*
grasen	*sie grast, Gras*	*fasten*	*Floskel*	*Knospe*
weisen	*er weist*	*Feste*	*Maske*	*knusprig*
Gläser	*Glas*	*listig*	*Muskeln*	*lispeln*

Bitte unterscheiden!

das	– *dass*		*er ist*	– *er isst*
(Artikel)	(Konjunktion)		(von *sein*)	(von *essen*)
fast	– *er fasst*		*du hast*	– *du hasst*
(beinahe)	(von *fassen*)		(von *haben*)	(von *hassen*)
Küste	– *sie küsste*		*bis*	– *der Biss*

5.1   Satzanfang und wörtliche Rede

Am Anfang eines Satzes und den Beginn der wörtlichen Rede schreibt man groß:

Er ging über die Straße.   *„Wann kommst du zurück?"*
Hundebisse können gefährlich sein.   *Sie fragte: „Hast du Angst vor Hunden?"*

5.2   Titel und Überschriften

Das erste Wort einer Überschrift, eines Buchtitels schreibt man groß:

Astrid Lindgren schrieb das Buch „Die Brüder Löwenherz".
Sie liest das Märchen „Des Kaisers neue Kleider".

5.3   Eigennamen   ▶ 44

Eigennamen schreibt man groß:

Anna	*Hamburg*	*Alpen*
Markus	*Dresden*	*Atlantik*

Adjektive, die Teil eines Eigennamens sind, schreibt man ebenfalls groß:

der Stille Ozean   *der Große Teich (der Atlantik)*
der Deutsche Schäferhund   *die Große Mauer (in China)*
der Schiefe Turm von Pisa   *der Blaue Planet (die Erde)*

5.4   Nomen*

Nomen schreibt man groß. Sie haben oft einen Begleiter bei sich:

einen Artikel   ein Adjektiv (als Attribut)
der Schuh   *frohe Kinder*
das Fass   *große Leute*
die Schule   *kurze Socken*
ein Kind   *lange Gesichter*

eine Präposition   ein Pronomen, unbestimmtes Zahlwort/
                                      Mengenangabe

im Bett   *dein Mantel*
bei Tisch   *jeder Mensch*
mit Kostümen   *etwas Salat*
ins Zimmer   *kein Kind*

Nomen: Substantiv

5.5 Als Nomen* gebrauchte Wörter

Verben, Adjektive und Partizipien können als Nomen gebraucht werden. Sie werden dann oft durch Begleiter angekündigt:

durch einen Artikel	durch ein Adjektiv (als Attribut)
der Alte	*frohes Lachen*
das erste Beste	*stummes Flehen*
des Weiteren	*heftiges Schlagen*
den Kürzeren ziehen	*kurzes Zögern*
um ein Beträchtliches	*langes Reden*
auf dem Laufenden sein	*lautes Weinen*

durch eine Präposition	durch ein Pronomen, unbestimmtes Zahlwort/Mengenangabe
im Großen und Ganzen	*dein Flüstern*
im Folgenden	*jeder Beliebige*
beim Schreiben	*jenes Schnaufen*
ins Reine bringen	*kein Lachen*
nicht im Entferntesten	*etwas Gelungenes*
am Alten hängen	*nichts Gebratenes*
im Allgemeinen	*genug Essbares*
sich im Klaren sein	*alle Folgenden*

In Wendungen mit *auf das, aufs*, die sich mit „wie?" erfragen lassen, kann man zwischen Groß- und Kleinschreibung wählen:

Wir wurden auf das herzlichste/Herzlichste begrüßt.

Sie wurde aufs gröbste /Gröbste beleidigt.

Er war auf das schrecklichste/Schrecklichste verprügelt worden.

Der Tisch war aufs beste/Beste gedeckt.

Lassen sich diese Wendungen z.B. mit „worauf?" erfragen, schreibt man groß:

Wir waren auf das/aufs Schrecklichste vorbereitet.

Während seiner Krankheit war er auf das/aufs Beste angewiesen.

Bei Verbindungen mit *am* ist darauf zu achten, dass die Höchststufe der Steigerung, der Superlativ, kleingeschrieben wird:

gut – besser – am besten	*schön – schöner – am schönsten*
klein – kleiner – am kleinsten	*groß – größer – am größten*

*Nomen: Substantiv

12 Auch Wörter anderer Wortarten können als Nomen* gebraucht werden.
Sie werden oft durch einen Begleiter angekündigt:

auf Du und Du	*mit Ach und Krach*	*eine Sechs würfeln*
das Du anbieten	*langes Hin und Her*	*dieses Für und Wider*
kein Aber	*das ganze Drum und Dran*	*dein Ja*

Nicht immer kündigt ein Begleiter ein als Nomen* gebrauchtes Wort an:
Zum Abendbrot gab es Gebratenes und Gedünstetes.
(Zum Abendbrot gab es etwas Gebratenes und etwas Gedünstetes.)
Die Rede begeisterte Junge und Alte/Jung und Alt.
(Die Rede begeisterte die Jungen und die Alten.)
Diese Musik hat Zahllose begeistert.
(Diese Musik hat die Zahllosen begeistert.)

Adjektive, Partizipien und Pronomen werden – trotz eines Begleiters – kleingeschrieben,
wenn sie sich auf ein vorhergehendes Nomen* beziehen. Das Nomen ist dann nur ausgespart:

Die Stoffe sind sehr schön, am besten gefallen mir die karierten [ ].

Jens las im Urlaub viele Bücher, die spannendsten [ ] zuerst.

Bitte gib mir ein Taschentuch, das meinige/meines [ ] habe ich verloren.

Lies deinen Aufsatz vor, Peter hat den seinigen/seinen [ ] daheim vergessen.

Anna besitzt zwei Aktentaschen, eine braune [ ] und eine [ ] schwarze.

Alle Kinder waren dabei und die größeren [ ] halfen den kleineren [ ].

Bitte merken!

Ihr wurde angst.	*Sie hat Angst.*
Ihm ist angst und bange.	*Das hat ihm Angst und Bange gemacht.*
Er ist schuld daran.	*Daran trägt er Schuld.*
Das ist recht. Sie verhält sich recht.	*Er hat (behält, bekommt) Recht.*
Die Firma ist pleite.	*Die Firma ist Pleite gegangen.*
Das musst du ernst nehmen.	*Er wird damit Ernst machen.*

Immer groß!

in/mit Bezug auf	*im Grunde*
in Hinsicht auf	*zur Not, Not tun (sein, werden)*

---

*Nomen: Substantiv

Immer klein!

rechtens sein	viele, das viele, die vielen
etwas rechtens machen	wenige, ein wenig, das wenige,
für rechtens halten	die wenigen
vonnöten sein	das meiste, die meisten
beiseite	der (die, das) andere, die anderen,
ein bisschen (ein wenig)	alles andere, unter anderem,
ein paar (wenige)	die einen und die anderen
durch dick und dünn	
über kurz oder lang	
von klein auf	

Bitte wählen!

aufgrund/auf Grund	die deinen/Deinen
zugrunde/zu Grunde gehen	die meinen/Meinen
aufseiten/ auf Seiten	die euren/Euren
vonseiten/von Seiten	die unseren/Unseren

5.6   Nomen* auf -heit, -keit, -nis, -schaft, -tum, -ung   45

Wörter mit den Suffixen -heit, -keit, -nis, -schaft, -tum, und -ung sind Nomen. Und Nomen schreibt man groß:

rau	+ heit	→ Rauheit			heiter	+ keit	→ Heiterkeit
roh	+ heit	→ Rohheit			heiser	+ keit	→ Heiserkeit
zäh	+ heit	→ Zähheit			traurig	+ keit	→ Traurigkeit
ergeb(en)	+ nis	→ Ergebnis			bürg(en)	+ schaft	→ Bürgschaft
erleb(en)	+ nis	→ Erlebnis			eigen	+ schaft	→ Eigenschaft
geheim	+ nis	→ Geheimnis			gemein	+ schaft	→ Gemeinschaft
brauch(en)	+ tum	→ Brauchtum			belohn(en)	+ ung	→ Belohnung
heilig	+ tum	→ Heiligtum			rechn(en)	+ ung	→ Rechnung
wachs(en)	+ tum	→ Wachstum			schreib(en)	+ ung	→ Schreibung

*Nomen: Substantiv

5.7 Herkunftsbezeichnungen

Herkunftsbezeichnungen auf *-er* werden großgeschrieben:

das Ulmer Münster	*der Kölner Dom*
der Dresdner Zwinger	*das Heidelberger Schloss*
das Meißener Porzellan	*der Berliner Bär*

Herkunftsbezeichnungen auf *-isch* werden kleingeschreiben:

brasilianischer Kaffee	*rheinische Städte*
sächsische Schüler	*thüringische Würste*
mecklenburgische Bauern	*badischer Wein*

Gehört das Adjektiv auf *-isch* zu einem Eigennamen, dann wird es großgeschrieben (vgl. S. 10):

die Brandenburgischen Konzerte	*der Indische Ozean*
die Holsteinische Schweiz	*die Schwäbische Alb*
die Mecklenburgische Seenplatte	*der Bayerische Wald*

5.8 Bezeichnungen für Farben und Sprachen ▶ 45

Farb- und Sprachbezeichnungen, die mit Präpositionen verbunden sind, schreibt man groß:

bei Rot	*in Grün*	*in Englisch*	*auf Deutsch*

Bitte wählen!
Sie spricht französisch/Französisch.

5.9 Zeitangaben ▶ 45

Zeitangaben, die Nomen* sind, schreibt man groß. Man erkennt sie oft an ihren Begleitern:

der Dienstag	*jeder Morgen*	*der Dienstagmorgen*
ein Mittwoch	*dieser Mittag*	*jeden Dienstagmittag*
am Freitag	*jener Abend*	*am nächsten Dienstagabend*
kommenden Samstag	*zur Nacht*	*in der Dienstagnacht*

---

*Nomen: Substantiv

Zeitangaben, die Adverbien sind, schreibt man klein:

dienstags	*morgens*	*dienstagmorgens*	*heute*
mittwochs	*mittags*	*dienstagmittags*	*gestern*
freitags	*abends*	*dienstagabends*	*vorgestern*
samstags	*nachts*	*dienstagnachts*	*morgen*

(auch: *dienstags morgens, dienstags abends* usw.)

Entsprechend schreibt man in Tageszeitenangaben die Adverbien klein und die Nomen* groß:

heute Morgen   *gestern Nachmittag*   *vorgestern Nacht*   *morgen Vormittag*

5.10 Zahlwörter

Grund-, Ordnungs- und Bruchzahlen werden kleingeschrieben, es sei denn, sie sind nominalisiert** bzw. Nomen*:

	Kleinschreibung	Großschreibung
Grundzahlen	*Er kaufte zwei Bücher.*	*Sie hat in Mathe eine Zwei.* [= die Note]
	Ich kenne diese drei.	*Er würfelte die Drei.* [= die Zahl]
	Er ist über achtzig.	*Notieren Sie bitte die Achtzig.* [= die Zahl]
Ordnungszahlen	*Er kam am ersten März.*	*Er kam am Ersten des Monats.*
	Das höre ich zum ersten Mal.	*Sie ist die Erste in der Klasse.*
	Er leistete erste Hilfe.	*Sie kam als Erste an die Reihe.*
Bruchzahlen	*Er ging um viertel fünf.*	*Er ging um [ein] Viertel nach fünf.*
	Er nahm ein[en] achtel Liter Milch.	(Auch:) *Er nahm ein[en] Achtelliter Milch.*
		Das ist ein Zehntel des Umfangs.

Bitte wählen!

Diese Torte wird in einigen dutzend/Dutzend Bäckereien verkauft.

Es kamen dutzende/Dutzende von Käufern.

Mehrere hundert/Hundert Menschen wurden eingeladen.

Viele tausende/Tausende strömten zur Festwiese.

Es warteten abertausende/Abertausende auf den Spielbeginn.

Die Pfiffe zigtausender/Zigtausender beeindruckten die Spieler nicht.

Nomen: Substantiv; **nominalisiert:* substantiviert

16   ## 5.11   Verbindungen mit *Mal* und *-mal(s)*   ▶ 46

In einer Nomengruppe* schreibt man *Mal* groß (und getrennt). Adverbien mit *-mal(s)* schreibt man klein (und zusammen):

Nomengruppe*	Adverb
das erste Mal, zum ersten Mal	*erstmals*
das letzte Mal, zum letzten Mal	*letztmals*
viele Male	*vielmals*
dieses Mal	*diesmal*
ein einziges Mal	*einmal*
kein einziges Mal	*keinmal*
mehrere Male	*mehrmals*
das achte Mal, zum achten Mal	*achtmal*
einige/etliche Male	
viele Dutzend Male	
von Mal zu Mal	

5.12   Anredepronomen: *Sie – du*   ▶ 46

Das höfliche Anredepronomen *Sie* und das entsprechende Possessivpronomen *Ihr* (in allen Formen) schreibt man immer groß:

Haben Sie das Auto schon verkauft?

Bitte parken Sie Ihren Wagen nicht hier.

Die Anredepronomen *du* und *ihr* mit den entsprechenden Possessivpronomen *dein* und *euer* schreibt man immer klein:

Hast du dir das auch gut überlegt?

Jetzt müsst ihr euch entscheiden.

Liebe Laura, mit diesem Brief möchte ich mich für deine Urlaubsgrüße bedanken. Habt ihr eure nächste Reise schon geplant?

**Nomen: Substantiv

6.1 Wortzusammensetzungen ▶ 46

Viele Wörter sind aus zwei oder mehr Wörtern zusammengesetzt:

Nomen	+	Nomen	→	Nomen*
Haus		*Meister*	→	*Hausmeister*
Garten		*Zaun*	→	*Gartenzaun*

Nomen	+	Nomen	+	Nomen	→	Nomen*
Arm		*Band*		*Uhr*	→	*Armbanduhr*
Haus		*Meister*		*Wohnung*	→	*Hausmeister-wohnung*

Der letzte Bestandteil solcher Wortzusammensetzungen, das Grundwort, bestimmt die Wortart und damit auch die Groß- oder Kleinschreibung:

Nomen*	+	Adjektiv/Partizip	→	Adjektiv/Partizip
Messer		*scharf*	→	*messerscharf*
Freude		*strahlend*	→	*freudestrahlend*
Angst		*erfüllt*	→	*angsterfüllt*

Adjektiv/Partizip	+	Nomen	→	Nomen*
edel		*Mann*	→	*Edelmann*
gebraucht		*Wagen*	→	*Gebrauchtwagen*
alt		*Eisen*	→	*Alteisen*

Adjektiv	+	Adjektiv	→	Adjektiv
bitter		*böse*	→	*bitterböse*
gelb		*grün*	→	*gelbgrün*
taub		*stumm*	→	*taubstumm*

Partikel	+	Nomen	→	Nomen*
ab		*Stand*	→	*Abstand*
außen		*Minister*	→	*Außenminister*
vor		*Name*	→	*Vorname*

Partikel	+	Verb	→	Verb
ab		*geben*	→	*abgeben*
hinaus		*laufen*	→	*hinauslaufen*
zurück		*kommen*	→	*zurückkommen*

*Nomen: Substantiv

18 Wenn in Wortzusammensetzungen drei gleiche Buchstaben zusammentreffen, dann schreibt man auch alle drei:

Bett	+	*Tuch*	→	*Betttuch*	*Hawaii* + *Inseln*	→	*Hawaiiinseln*
Fluss	+	*Sand*	→	*Flusssand*	*Tee* + *Ei*	→	*Teeei*

Man kann, um die Verbindung leichter lesbar zu machen, einen Bindestrich setzen:

Bett-Tuch   *Hawaii-Inseln*   *Fluss-Sand*   *Tee-Ei*

6.2 Zusammenschreibung in Verbindungen mit Verben

6.2.1 Untrennbare (feste) Zusammensetzungen mit Verben

Ein Verb kann als Grundwort untrennbare (feste) Zusammensetzungen bilden mit Nomen*, Adjektiven und Partikeln:

Nomen*	+	Verb	→	Verb
Hand		*haben*	→	*handhaben*
Maß		*regeln*	→	*maßregeln*
Lob		*preisen*	→	*lobpreisen*
Schluss		*folgern*	→	*schlussfolgern*

Adjektiv	+	Verb	→	Verb
froh		*locken*	→	*frohlocken*
lieb		*äugeln*	→	*liebäugeln*
lang		*weilen*	→	*langweilen*
voll		*bringen*	→	*vollbringen*

Partikel	+	Verb	→	Verb
durch		*brechen*	→	*durchbrechen*
hinter		*gehen*	→	*hintergehen*
unter		*stellen*	→	*unterstellen*
wider		*sprechen*	→	*widersprechen*

Diese Verbindungen werden als untrennbar (fest) bezeichnet, weil sie immer in derselben Reihenfolge erscheinen:

Das müssen wir anders handhaben.   *Sie wird ihm widersprechen.*
Das haben wir früher anders gehandhabt.   *Sie hat ihm widersprochen.*

Der Jet kann die Schallmauer durchbrechen.   *Die Kinder werden frohlocken.*
Der Jet hat die Schallmauer durchbrochen.   *Die Kinder haben frohlockt.*

*Nomen: Substantiv

6.2.2 Trennbare (unfeste) Zusammensetzungen mit Verben

Ein Verb kann als Grundwort trennbare (unfeste) Zusammensetzungen bilden mit (zum Teil verblassten) Nomen*, Adjektiven und Partikeln:

Nomen*	+	Verb	→	Verb
Heim		*fahren*	→	*heimfahren*
Irre		*führen*	→	*irreführen*
Preis		*geben*	→	*preisgeben*
Stand		*halten*	→	*standhalten*
Statt		*finden*	→	*stattfinden*
Teil		*nehmen*	→	*teilnehmen*
Wett(e)		*machen*	→	*wettmachen*
Wunder		*nehmen*	→	*wundernehmen*

Adjektiv/Partikel	+	Verb	→	Verb
fern		*sehen*	→	*fernsehen*
schwarz		*fahren*	→	*schwarzfahren*
tot		*schlagen*	→	*totschlagen*
hoch		*rechnen*	→	*hochrechnen*
wahr		*sagen*	→	*wahrsagen*
bloß		*stellen*	→	*bloßstellen*
aus		*stellen*	→	*ausstellen*
fort		*laufen*	→	*fortlaufen*
hinaus		*schwimmen*	→	*hinausschwimmen*
hinzu		*kommen*	→	*hinzukommen*
zurück		*stellen*	→	*zurückstellen*

(mit unselbstständigen Teilen:)

feil		*bieten*	→	*feilbieten*
fehl		*schlagen*	→	*fehlschlagen*

Diese Zusammensetzungen werden als trennbar (unfest) bezeichnet, weil man sie nur zusammenschreibt im Infinitiv, im Partizip I und II sowie in Nebensätzen bei Endstellung des Verbs; in anderen Formen trennen sich die Teile des Verbs:

Er wird morgen heimfahren.   *Heute darfst du nicht fernsehen.*
Er fuhr gestern heim.   *Sie sah gestern nicht fern.*

Er wird am Wettbewerb teilnehmen.   *Du musst den Ball schneller abgeben.*
Nimmt er am Wettbewerb teil?   *Gib den Ball schneller ab!*

---

*Nomen: Substantiv

20 Stehen solche Verbindungen am Satzanfang (dadurch werden sie besonders betont), dann schreibt man sie getrennt:

Hinzu kommt, dass ...

Wunder nimmt, dass ...

Fehl ging er in dem Glauben, dass ...

Bereit hält sie sich für den Fall, dass ...

6.3 Getrenntschreibung in Verbindungen mit Verben

6.3.1 Nomen* + Verb

Sind Wortgruppen aus einem Nomen* und einem Verb
– keine untrennbaren Zusammensetzungen (vgl. S. 18) und
– keine trennbaren Zusammensetzungen mit den auf S. 19 genannten (zum Teil verblassten) Nomen*,
dann schreibt man getrennt:

Angst haben	*Auto fahren*	*Eis laufen*	*Kopf stehen*
Not leiden	*Rad fahren*	*Pleite gehen*	*Fuß fassen*

Werden solche Verbindungen nominalisiert**, schreibt man sie zusammen:

das Autofahren   *das Eislaufen*   *das Radfahren*

6.3.2 Infinitiv + Verb, Partizip + Verb

Wortgruppen aus einem Infinitiv und einem Verb werden getrennt geschrieben:

spazieren gehen	*kennen lernen*	*bestehen bleiben*
sitzen bleiben	*bleiben lassen*	*liegen lassen*

Wortgruppen aus einem Partizip und einem Verb werden getrennt geschrieben:

getrennt schreiben	*geliehen bekommen*	*geschenkt bekommen*
gefangen nehmen	*gesagt bekommen*	*verloren gehen*

6.3.3 Verbindungen mit dem Verb *sein*

Wortgruppen mit dem Verb *sein* (und die entsprechenden Partizipien) werden getrennt geschrieben:

beisammen sein (beisammen gewesen)	*fertig sein (fertig gewesen)*
da sein (da gewesen)	*traurig sein (traurig gewesen)*

---

*Nomen: Substantiv; **nominalisiert: substantiviert

6.3.4 Wortgruppen aus Adjektiv + Verb

Wortgruppen aus Adjektiv und Verb werden getrennt geschrieben, wenn das Adjektiv gesteigert oder die Wortgruppe erweitert werden kann:

schnell fahren   *sauber schreiben*

Steigerungsprobe:

schneller fahren   *sauberer schreiben*

(sehr/ganz schnell fahren)   *(sehr/ganz sauber schreiben)*

Erweiterungsprobe:

schnell mit dem Auto fahren   *sauber mit dem Füller schreiben*

6.3.5 Wortgruppen aus Adjektiven auf *-ig, -isch, -lich* + Verb

Wortgruppen aus Adjektiven auf *-ig, -isch, -lich* und einem Verb werden getrennt geschrieben:

freudig begrüßen   *kritisch betrachten*   *freundlich grüßen*

6.3.6 Wortgruppen aus zusammengesetztem Adverb + Verb

Wortgruppen aus zusammengesetztem Adverb und Verb werden getrennt geschrieben:

abhanden kommen   *beiseite stellen (legen, schieben ...)*

vonstatten gehen   *zugute halten*

6.4 Getrennt- oder Zusammenschreibung in Verbindungen mit Verben

6.4.1 Infinitive mit *zu*

Infinitive mit *zu* schreibt man getrennt:

machen: *Er vergaß die Hausaufgaben zu machen.*

Den Infinitiv mit *zu* schreibt man zusammen, wenn das Verb ein abtrennbares Präfix hat. Das gilt auch für das Präfix *zu-*:

abmachen: *Das haben wir unter uns abzumachen.*

zumachen: *Er hat vergessen das Fenster zuzumachen.*

Hier helfen Proben:

Ersatzprobe:
Handelt es sich um ein Verb mit dem Präfix *zu-*, dann lässt sich das ganze Wort durch ein anderes ersetzen:

zumachen → *schließen*   *Er will das Fenster schließen.*

22

Handelt es sich um einen Infinitiv mit *zu,* lässt sich nur das Verb ersetzen, das *zu* bleibt erhalten:

zu machen → *zu erledigen   Er vergaß die Hausaufgaben zu erledigen.*

Betonungsprobe:
Die Betonung liegt auf dem Verbstamm: *zu máchen*
Die Betonung liegt auf *zu-: zúmachen*

6.4.2 Verbindungen mit *zusammen* + Verb

Verbindungen mit *zusammen* und Verb werden getrennt geschrieben, wenn sich das Wort *zusammen* durch das Wort *gemeinsam* ersetzen lässt:

zusammen (gemeinsam) fahren
zusammen (gemeinsam) ziehen
zusammen (gemeinsam) schreiben

Hier hilft auch die Erweiterungsprobe:

zusammen ins Schwimmbad fahren   *zusammen an einem Strang ziehen*
zusammen einen Brief schreiben

Verbindungen mit *zusammen* und Verb werden zusammengeschrieben, wenn sich der gesamte Begriff durch einen anderen ersetzen oder umschreiben lässt:

zusammenfahren   → *erschrecken*
zusammenziehen   → *bündeln/sich eine gemeinsame Wohnung nehmen*
zusammenschreiben → *in einem Wort notieren*

Betonungsprobe:
Bei Getrenntschreibung werden beide Wörter betont, bei Zusammenschreibung wird *zusammen-* betont:

zusámmen fáhren   *zusámmenfahren*

6.4.3 Verbindungen mit Verben
in unterschiedlichen Bedeutungszusammenhängen

Bei einigen Verbindungen mit Verben hängt die Getrennt- und Zusammenschreibung davon ab, in welchem Zusammenhang man sie benutzt. Der Zusammenhang bestimmt die Bedeutung und damit auch die Getrennt- oder Zusammenschreibung:

gut schreiben (leserlich schreiben)   – *gutschreiben* (anrechnen)
frei sprechen (ohne abzulesen sprechen)   – *freisprechen* (für unschuldig erklären)
fest nehmen (mit Kraft nehmen)   – *festnehmen* (verhaften)
sicher gehen (ohne zu schwanken gehen) – *sichergehen* (Gewissheit haben)

Hier helfen Proben:

Erweiterungsprobe:

Er will das gut und leserlich ins Heft schreiben.
Wir werden Ihnen den Betrag gutschreiben. (Nicht erweiterbar)

Sie wird frei und ohne Spickzettel vor der Klasse sprechen.
Das Gericht hat den Angeklagten freigesprochen. (Nicht erweiterbar)

Du musst das Seil fest in die Hand nehmen.
Die Polizei wird den Verdächtigen festnehmen. (Nicht erweiterbar)

Kannst du sicher auf diesen wackligen Planken gehen?
In diesem Fall muss er sichergehen. (Nicht erweiterbar)

Steigerungsprobe:

Er wird das besser (sehr/ganz gut) schreiben.
Sie muss den Vortrag freier (sehr/ganz frei) sprechen.
Du musst das Seil fester (sehr/ganz fest) nehmen.
Das Baby kann jetzt schon sicherer (sehr/ganz sicher) gehen.

Ersatzprobe:
Bei Getrenntschreibung lässt sich das erste Wort ersetzen, das Verb bleibt erhalten:

gut		*frei*	
sauber } *schreiben*		*ohne abzulesen* } *sprechen*	
leserlich		*unvorbereitet*	

fest		*sicher*	
kräftig } *nehmen*		*ohne zu schwanken* } *gehen*	
mit Kraft		*mit festem Schritt*	

Bei Zusammenschreibung lässt sich nur das gesamte Wort ersetzen:

gutschreiben	→	*anrechnen*	
festnehmen	→	*verhaften*	

freisprechen	→	*für unschuldig erklären*	
sichergehen	→	*Gewissheit haben*	

Betonungsprobe:
Bei Getrenntschreibung werden beide Wörter betont:
gút schréiben, fréi spréchen, fést néhmen, sícher géhen

Bei Zusammenschreibung liegt die Betonung auf dem ersten Bestandteil der Zusammensetzung:
gútschreiben, fréisprechen, féstnehmen, síchergehen

6.5 Zusammenschreibung in Verbindungen mit Adjektiven

6.5.1 Unselbstständiger Wortteil + Adjektiv

Adjektive werden mit Wortteilen zusammengeschrieben, die nicht selbstständig vorkommen:

dreifach   *redselig*   *blauäugig*   *großmütig*

6.5.2 Gleichrangige Adjektive, bedeutungsbetonende Teile + Adjektiv

Gleichrangige Adjektive schreibt man zusammen:

gelbgrün   *dummdreist*   *feuchtwarm*   *nasskalt*

Adjektive werden mit Bestandteilen zusammengeschrieben, die ihre Bedeutung stärken oder mindern:

brandgefährlich   *extrabreit*   *lauwarm*   *stocktaub*

6.6 Getrenntschreibung in Verbindungen mit Adjektiven

6.6.1 Adjektive auf *-ig, -isch, -lich* + Adjektiv

Folgt einem Adjektiv auf *-ig, -isch, -lich* ein weiteres Adjektiv, so schreibt man getrennt:

winzig klein   *tierisch gut*   *grässlich laut*

6.6.2 Partizip + Adjektiv

Geht einem Adjektiv ein Partizip voraus, so schreibt man getrennt:

glühend heiß   *strahlend weiß*   *leuchtend hell*   *erfrischend kühl*

6.6.3 Erweiterbare und steigerbare Teile in Wortgruppen mit Adjektiv/Partizip `25`

Lässt sich der erste Bestandteil einer Wortgruppe mit Adjektiv/Partizip steigern oder erweitern, dann schreibt man getrennt:

schwach besiedelte Gebiete   *schwer verdauliche Speisen*

breit gefächerte Angebote   *gut gehende Geschäfte*

Erweiterungsprobe:	Steigerungsprobe:
schwach und nur mit wenigen Menschen besiedelte Gebiete	*schwächer (sehr/ganz schwach) besiedelte Gebiete*
schwer und nur mit Mühe verdauliche Speisen	*schwerer (sehr/ganz schwer) verdauliche Speisen*
breit und übersichtlich gefächerte Angebote	*breiter (sehr/ganz breit) gefächerte Angebote*
gut und erfreulich gehende Geschäfte	*besser (sehr/ganz gut) gehende Geschäfte*

6.6.4 Zu Wortgruppen erweiterte Adjektivteile

Nomen* können mit Adjektiven/Partizipien zu einem Wort zusammengesetzt werden (vgl. S. 17):

Jahre + lang → *jahrelang*   *Kilometer + weit* → *kilometerweit*

Angst + erfüllt → *angsterfüllt*   *Freude + strahlend* → *freudestrahlend*

Löst man den ersten Teil wieder in eine erweiterte Nomengruppe* auf, dann schreibt man getrennt:

viele Jahre lang   *etliche Kilometer weit*

von großer Angst erfüllt   *vor Freude strahlend*

Bitte merken!

Immer zusammen: Verbindungen mit *irgend-*

irgendwo, irgendwie, irgendwann, irgendjemand, irgendwer, irgendetwas

Immer getrennt:

so viel, so viele, wie viel, wie viele

---

*Nomen: Substantiv

Getrennt wird nach Sprechsilben:

A-bend	*Au-ge*	*Bä-cker*
ras-ten	*Rei-he*	*eu-ro-pä-i-sche*

Bei mehreren Konsonanten trennt man nur den letzten ab:

Damp-fer	*Karp-fen*	*knusp-rig*

Hier trennt man nach Wortbausteinen:

Schul-weg	*See-mann*	*Pro-gramm*
Ver-such	*ent-fernt*	*Zeug-nis*
Mäus-chen	*Rau-heit*	*Zäh-heit*

Nach Wortbausteinen *oder* Sprechsilben lassen sich z.B. trennen:

hin-auf oder *hi-nauf*	*war-um* oder *wa-rum*
vor-aus oder *vo-raus*	*ein-an-der* oder *ei-nan-der*

Man trennt nicht

– Buchstabenverbindungen wie *ch, ck, sch, ph* und *th*, wenn sie für einen einzigen Konsonanten stehen:

su-chen	*bli-cken*	*ra-scheln* (aber: *Mäus-chen*)
Ste-phan	*Stro-phe*	*Zi-ther*

– einsilbige Wörter:

schlank	*schmal*	*Schluss*

8.1 Bevorzugte und erlaubte Schreibweisen bei Fremdwörtern ▶ 47

Bei einigen Fremdwörtern ist die Schreibweise dem Deutschen angepasst. In einigen Fällen wird die deutsche Schreibung erlaubt, in einigen Fällen gegenüber der fremdsprachigen bevorzugt. Weil es dafür keine strengen Regelungen gibt, sollte man ein Wörterbuch zu Rate ziehen. Hier einige Beispiele:

bevorzugt: *ch*	erlaubt: *sch*
charmant	*scharmant*
Charme	*Scharm*
Chicorée	*Schikoree*

bevorzugt: *sch*	erlaubt: *ch*
Ketschup	*Ketchup*
Scheck	*Check, Cheque*
schick	*chic*
Sketsch	*Sketch*

bevorzugt: *c*	erlaubt: *k*
Bouclé	*Buklee*
Coupé	*Kupee*
Creme	*Krem, Kreme*

bevorzugt: *k*	erlaubt: *c*
Disko	*Disco*
(Ohr-)Klipp	*Clip*
Klub	*Club*
kontra	*contra*
Krepp	*Crêpe*
Kusine	*Cousine*
zirka	*circa*

bevorzugt: *gh*	erlaubt: *g*
Joghurt	*Jogurt*
Spaghetti	*Spagetti*

bevorzugt: *c*	erlaubt: *ss*
Facette	*Fassette*
Necessaire	*Nessessär*

bevorzugt: *é*	erlaubt: *ee*
Bouclé	*Buklee*
Kommuniqué	*Kommunikee*
Glacé	*Glacee*
Soufflé	*Soufflee*

bevorzugt: *ee*	erlaubt: *é*
Dublee	*Doublé*
Exposee	*Exposé*
Pappmaschee	*Pappmaché*
passee	*passé*
Rommee	*Rommé*
Varietee	*Varieté*

bevorzugt: *ai*	erlaubt: *ä*
Malaise	*Maläse*
Necessaire	*Nessessär*

bevorzugt: *ä*	erlaubt: *ai*
Dränage	*Drainage*
Majonäse	*Mayonnaise*

28

bevorzugt: *ou*	erlaubt: *u*	bevorzugt: *u*	erlaubt: *ou*
Bravour	*Bravur*	*Dublee*	*Doublé*
Bouclé	*Buklee*	*Nugat*	*Nougat*

bevorzugt: *ee*	erlaubt: *aie*	bevorzugt: *-ziell*	erlaubt: *-tiell*
Portmonee	*Portemonnaie*	*existenziell*	*existentiell*
		potenziell	*potentiell*
		substanziell	*substantiell*

8.2 Schreibweisen der Laute *f* und *t* in Fremdwörtern

Die Laute *f* und *t* werden in Fremdwörtern häufig mit *ph* und *th* geschrieben:

ph	*th*
Atmosphäre	*Athlet*
euphorisch	*Theater*
Strophe	*synthetisch*

In einigen Fällen wird diese Schreibung weiterhin bevorzugt, aber die Schreibung mit *f* und *t* erlaubt:

bevorzugt: *ph*	erlaubt: *f*	bevorzugt: *ph*	erlaubt: *f*
Delphin	*Delfin*	*Diktaphon*	*Diktafon*
Geographie	*Geografie*	*Graphologe*	*Grafologe*
Megaphon	*Megafon*	*Orthographie*	*Orthografie*
Paragraph	*Paragraf*	*Saxophon*	*Saxofon*
Topographie	*Topografie*	*Stereophonie*	*Stereofonie*

bevorzugt: *th*	erlaubt: *t*	bevorzugt: *th*	erlaubt: *t*
Panther	*Panter*	*Thunfisch*	*Tunfisch*

Bei einigen Wörtern wird die deutsche Schreibung gegenüber der fremdsprachigen bevorzugt:

bevorzugt: *f*	erlaubt: *ph*	bevorzugt: *f*	erlaubt: *ph*
Bibliografie	*Bibliographie*	*Biografie*	*Biographie*
Choreografie	*Choreographie*	*Fantasie*	*Phantasie*
Fotografie	*Photographie*	*Stenografie*	*Stenographie*

8.3 Schreibweisen nach kurzen Vokalen in Fremdwörtern

In einigen Fremdwörtern folgt nach einem betonten kurzen Vokal nur ein einzelner Buchstabe für den Konsonanten:

Chip	fit	Gag	Jet	Job	Pop
Ananas	April	City	Hotel	Kapitel	Mini

In einigen Fremdwörtern wird der Buchstabe für den Konsonanten verdoppelt, obwohl der vorausgehende Vokal nicht betont ist:

Batterie	Effekt	Grammatik	Kannibale	Karriere	Konkurrenz
Lotterie	Porzellan	raffiniert	akkurat	Differenz	korrekt
Fassade	Karussell	kassieren	passieren	kontrollieren	Passion

In Fremdwörtern steht nach einem kurzen Vokal

– statt *ck* ein einfaches *k*, manchmal auch *kk*:

Takt	Doktor	perfekt	Dialekt
Mokka	Akkusativ	Akku	Sakko

– statt *tz* steht *zz*:

Pizza	Pizzeria	Razzia	Skizze

8.4 Schreibweisen langer Vokale in Fremdwörtern: *i – ie*

In Fremdwörtern wird das lange *i* häufig durch den Buchstaben *i* und am Wortende durch *ie*, *-ier*, *-ieren* wiedergegeben:

Maschine	Termin	Ventil	Vitamine
Violine	Reptil	Elite	Stativ
Chemie	Deponie	Kopie	Harmonie
Manier	Scharnier	kopieren	garnieren

8.5 Aus Nomen* zusammengesetzte Fremdwörter

Verbindungen aus Nomen* + Nomen* werden zusammengeschrieben:

Bandleader	Airbag	Mountainbike	Workshop

Bei Fremdwörtern gilt – wie bei deutschen Wörtern – die Regel, dass bei Wortzusammensetzungen der letzte Teil, das Grundwort, die Wortart bestimmt. So werden Verbindungen groß- und zusammengeschrieben, in denen der letzte Teil ein Nomen* ist:

Bluejeans	Hardrock	Swimmingpool	Bestseller

*Nomen: Substantiv

8.6   Worttrennung bei Fremdwörtern ▶ 47

Fremdwörter trennt man (wie deutsche Wörter) nach ihren Bestandteilen:

| *Bigband* | *Bluejeans* | *Centrecourt* | *Comicstrip* |
| *Big-band* | *Blue-jeans* | *Centre-court* | *Comic-strip* |

| *Happyend* | *Publicrelations* | *Shortstory* | *Smalltalk* |
| *Happy-end* | *Public-relations* | *Short-story* | *Small-talk* |

Erkennt man die Wortbausteine in Fremdwörtern nicht, kann man sie wie deutsche Wörter trennen:

Trennung nach Fremdwortbestandteilen:

| *Hekt-ar* | *He-li-ko-pter* | *in-ter-es-sant* | *Päd-a-go-ge* |

Trennung wie in deutschen Wörtern:

| *Hek-tar* | *He-li-kop-ter* | *in-te-res-sant* | *Pä-da-go-ge* |

Konsonantenverbindungen mit *l*, *n* und *r* (z.B. *bl*, *br*, *gn*, *kl*, *dr*) können getrennt werden oder auch ungetrennt bleiben:

nob-le	oder	*no-ble*	*Mag-net*	oder	*Ma-gnet*
Faib-le	oder	*Fai-ble*	*Sig-nal*	oder	*Si-gnal*
Feb-ru-ar	oder	*Fe-bru-ar*	*Zyk-lus*	oder	*Zy-klus*
Hyd-rant	oder	*Hy-drant*	*Quad-ro*	oder	*Qua-dro*

9.1   Schlusszeichen: Punkt, Ausrufezeichen, Fragezeichen

Den Schluss einer Aussage oder Feststellung kennzeichnet der Punkt:

Mein Name ist Daniela.	*Der Urlaub hat begonnen.*
Ich danke Ihnen sehr.	*Das war es.*
Sie ging ins Haus.	*Die Kinder folgten ihr.*
Jan ging nicht sofort ins Haus.	*Er schaute sich erst den Garten an.*

Den Schluss eines Ausrufes, einer Aufforderung, eines Wunsches, einer mit Nachdruck versehenen Behauptung kennzeichnet das Ausrufezeichen:

O ja!	*Bitte nicht rauchen!*	*Schließe das Fenster!*
Nein!	*Schluss jetzt!*	*Gute Nacht!*
Ich weiß genau, dass es hier war!	*Du bist morgen an der Reihe!*	

Den Schluss einer Frage kennzeichnet das Fragezeichen:

Wie heißt du?	*Hast du alles?*	*Warum gehst du?*
Ist sie das?	*Wieso?*	*Weshalb?*

9.2   Komma zwischen Hauptsätzen   ▶ 47

Gehören Hauptsätze inhaltlich eng zusammen, können sie zu gleichrangigen (nebengeordneten) Teilsätzen eines ganzen Satzes werden. Sie werden dann durch ein Komma (oder ein Semikolon, vgl. S. 37) getrennt, z.B.:

Teilsatz		Teilsatz
Sie ging ins Haus	**,**	*die Kinder folgten ihr.*
Jan ging nicht sofort ins Haus	**,**	*er schaute sich erst den Garten an.*
	Ganzsatz	

Das Komma wird auch gesetzt, wenn gleichrangige Teilsätze mit entgegenstellenden Konjunktionen verbunden werden wie *aber, sondern, doch, jedoch* usw.:

Sie ging ins Haus, aber die Kinder folgten ihr nicht.

Jan ging nicht sofort ins Haus, sondern er schaute sich erst den Garten an.

Werden die gleichrangigen Teilsätze durch *und* bzw. *oder* verbunden, dann entfällt das Komma:

Sie ging ins Haus und die Kinder folgten ihr.

Ging Jan sofort ins Haus oder schaute er sich erst den Garten an?

32 Will man die Gliederung zweier mit **und** bzw. **oder** verbundenen Hauptsätze deutlich machen, kann man ein Komma setzen:

Jens besuchte am frühen Nachmittag seinen Schulfreund Klaus (,) und bis zum späten Abend saßen sie zusammen über den Hausaufgaben.

Wer hat denn heute Morgen um 5 Uhr bei uns geklingelt (,) oder hast du so gut geschlafen, dass dir das entgangen ist?

9.3   Komma zwischen Haupt- und Nebensatz

Nebensätze werden vom Hauptsatz mit einfachem Komma abgegrenzt, wenn sie voran- oder nachgestellt sind:

– nachgestellter Nebensatz:
Er fuhr mit dem Rad, weil das Auto streikte.
In der Küche brannte Licht, als er nach Haus kam.
Sie wusste nichts davon, dass er morgen verreist.

– vorangestellter Nebensatz:
Weil das Auto streikte, fuhr er mit dem Rad.
Als er nach Hause kam, brannte Licht in der Küche.
Dass er morgen verreist, davon wusste sie nichts.

Eingeschobene Nebensätze werden von Kommas eingeschlossen:
Das Unkraut, das unter den Büschen wuchert, muss gejätet werden.
Er fuhr, weil die Straßen völlig vereist waren, mit dem Zug.
Davon, dass er morgen verreist, wusste sie nichts.

9.4   Komma bei Aufzählungen

In Aufzählungen werden die gleichrangigen Wörter und Wortgruppen mit einem Komma voneinander abgegrenzt:
Sie sahen einen kurzen, interessanten Filmausschnitt.
Er wird das Gemüse putzen, den Salat waschen.

Das Komma wird auch gesetzt vor entgegenstellenden Konjunktionen wie **aber, sondern, doch, jedoch** usw.:
Sie sahen einen kurzen, jedoch interessanten Filmausschnitt.
Er wird kein Gemüse putzen, sondern den Salat waschen.

Das Komma wird auch gesetzt vor anreihenden Konjunktionen wie *einerseits – andererseits, teils – teils, halb – halb*:

Sie sahen einerseits einen kurzen, andererseits interessanten Filmausschnitt.

Er hat teils das Gemüse geputzt, teils den Salat gewaschen.

Sie musste über die Streiche der Kinder halb lachen, halb weinen.

33

Das Komma entfällt, wenn die gleichrangigen Teile einer Aufzählung mit *und, oder, bzw., sowie* (= *und*), *wie* (= *und*), *entweder ... oder, nicht ... noch, sowohl ... als/wie auch, weder ... noch* verbunden sind:

Sie sahen einen kurzen und interessanten Filmausschnitt.

Das Buch war sowohl lehrreich als auch spannend.

Das Buch war weder lehrreich noch spannend.

Er wird das Gemüse putzen oder den Salat waschen.

Er wird das Gemüse putzen sowie den Salat waschen.

Er wird entweder das Gemüse putzen oder den Salat waschen.

Sie musste über die Streiche der Kinder gleichzeitig lachen und weinen.

Sie konnte über die Streiche der Kinder nicht lachen noch weinen.

Sie konnte über die Streiche der Kinder sowohl lachen wie auch weinen.

9.5 Komma bei Infinitivgruppen ▶ 48

Eine Infinitivgruppe, die zwischen Subjekt und Prädikat eines Satzes geschoben wird, schließt man mit Kommas ein:

Sie, ohne nach rechts und links zu schauen, lief über die Straße.

Wir, um schnell ans Ziel zu kommen, machten nur zehn Minuten Pause.

Ein Komma kann gesetzt werden, wenn eine Infinitivgruppe als Zusatz gekennzeichnet werden soll:

Sie lief (,) ohne nach rechts und links zu sehen (,) über die Straße.

Wir machten (,) um schnell ans Ziel zu kommen (,) nur zehn Minuten Pause.

Ein Komma kann bei einer Infinitivgruppe gesetzt werden, wenn man die Gliederung eines Satzes deutlich machen will:

Jens besuchte am frühen Nachmittag seinen Schulfreund Klaus (,) um mit ihm die Hausaufgaben zu erledigen.

Ein Komma kann gesetzt werden, wenn man Missverständnisse vermeiden will:

Sie riet ihrem Bruder zu helfen. (Wer soll wem helfen?)

Sie riet (,) ihrem Bruder zu helfen. (= dem Bruder soll geholfen werden)

Sie riet ihrem Bruder (,) zu helfen. (= der Bruder soll jemandem helfen)

34 | ## 9.6 Komma bei Partizipgruppen ▶ 48

Eine Partizipgruppe, die zwischen Subjekt und Prädikat eines Satzes geschoben wird, schließt man mit Kommas ein:

Die Kinder, von der Stimme des Erzählers gebannt, hörten atemlos zu.
Der Stürmer, ganz in Schweiß gebadet, verließ den Platz.

Steht die Partizipgruppe am Satzende, wird sie mit einfachem Komma abgegrenzt:

Die Kinder hörten atemlos zu, von der Stimme des Erzählers gebannt.
Der Stürmer verließ den Platz, ganz in Schweiß gebadet.

Ein Komma kann gesetzt werden, wenn eine Partizipgruppe als Zusatz gekennzeichnet werden soll:

Die Kinder hörten (,) von der Stimme des Erzählers gebannt (,) atemlos zu.
Der Stürmer verließ (,) ganz in Schweiß gebadet (,) den Platz.

Ein Komma kann bei einer Partizipgruppe gesetzt werden, wenn man die Gliederung eines Satzes deutlich machen will:

Von der Stimme des Erzählers gebannt (,) hörten die Kinder atemlos zu.
Ganz in Schweiß gebadet (,) verließ der Stürmer den Platz.

9.7 Komma bei angekündigten Infinitiv-, Partizip- und anderen Wortgruppen ▶ 48

Infinitiv-, Partizip- und andere Wortgruppen können durch Hinweise angekündigt werden. Man grenzt sie mit einfachem Komma ab oder schließt sie mit Kommas ein:

Er freute sich darauf, im Buchladen stöbern zu können.

Sie dachte nicht daran, das Buch zu verleihen.

Darauf, im Buchladen stöbern zu können, freute er sich.

Daran, das Buch zu verleihen, dachte sie nicht.

Das, morgen nach Hause fahren zu können, war ihr großer Wunsch.

So, von Zweifeln getrieben, eilte er nach Hause.

Die beiden, Hänsel und Gretel, verirrten sich im Wald.

Wird nachträglich auf die Wortgruppen Bezug genommen, so grenzt man sie mit einfachem Komma ab:

Im Buchladen stöbern zu können, darauf freute er sich.

Das Buch zu verleihen, daran dachte sie nicht.

Morgen nach Hause fahren zu können, das war ihr großer Wunsch.

Von Zweifeln getrieben, so eilte er nach Hause.

Hänsel und Gretel, die beiden verirrten sich im Wald.

9.8 Komma bei Adjektivgruppen

Eine nachgestellte Adjektivgruppe wird durch Kommas eingeschlossen. Steht sie am Satzende, wird sie mit einfachem Komma abgegrenzt:

Der Hund, faul und träge, blinzelte in die Sonne.
Der Senf, mild und würzig, gab dem Gericht einen geschmacklichen Pfiff.

Der Hund blinzelte in die Sonne, faul und träge.
Wir kauften Senf, mild und würzig.

9.9 Komma bei Appositionen

Die Apposition ist eine nachgestellte Nomengruppe*. Sie steht im selben Kasus wie das näher bestimmte Nomen*. Sie wird mit Kommas eingeschlossen bzw. am Satzende mit einfachem Komma abgetrennt:

Herr Lager, der Direktor, feierte seinen Geburtstag.
Meiner Kusine, einer großen Musikliebhaberin, gab er drei Konzertkarten.

In Frankfurt am Main wurde Goethes gedacht, des großen deutschen Dichters.
Die Akte gab er Herrn Maier, dem Abteilungsleiter.

9.10 Komma bei nachgestellten Erläuterungen

Nachgestellte Erläuterungen werden oft mit **und zwar, das heißt (d.h.), das ist (d.i.), besonders, insbesondere, vor allem** usw. eingeleitet. Sie werden durch ein Komma abgegrenzt:

Bring bitte Birnen mit, und zwar saftige und reife.
Sie hört gern klassische Musik, besonders Bach und Mozart.
Klassische Musik, besonders Bach und Mozart, hört sie gern.

*Nomen: Substantiv

9.11 Komma bei Einschüben

Einschübe werden durch Kommas eingeschlossen:
Eines Nachts, es war gegen drei Uhr, klingelte das Telefon.
Er wird, das war ein schwieriger Entschluss, nach Australien auswandern.

9.12 Komma bei Orts- und Zeitangaben

Mehrteilige Orts- und Zeitangaben grenzt man mit Kommas ab (das abschließende Komma kann entfallen):
Steffi Rehm, Dresden, Alte Allee 10 (,) gewann den ersten Preis.
Der Unterricht beginnt Montag, den 10. März, 9 Uhr (,) im Raum 201.
Die Besichtigung findet am Dienstag, dem 1. April (,) statt.

9.13 Komma bei Anreden, Ausrufen
und besonders hervorgehobenen Stellungnahmen

Bei Anreden, Ausrufen, Bejahung, Verneinung und bekräftigten Bitten setzt man Kommas. Werden sie eingeschoben, so schließt man sie mit Kommas ein; werden sie vorangestellt oder nachgestellt, grenzt man sie mit einfachem Komma ab:
Kinder, seid doch einmal still.
Seid doch einmal still, Kinder.
Seid, Kinder, doch einmal still.
Jan, gehst du heute Abend noch aus?
Gehst du heute Abend noch aus, Jan?
Gehst du, Jan, heute Abend noch aus?

Oh, das habe ich mir nicht so schön vorgestellt.
Au, lass das doch sein.
Ach ja, das war's wieder einmal.
Das war's wieder einmal, ach ja.
Das war's, ach ja, wieder einmal.

Ja, darauf kann ich verzichten.
Darauf kann ich nicht verzichten, leider.

Bitte, komm doch zum Kaffeetrinken.
Komm doch zum Kaffeetrinken, bitte.
Komm doch, bitte, zum Kaffeetrinken.

9.14 Semikolon

Das Semikolon trennt zwei Hauptsätze (gleichrangige Teilsätze) stärker als ein Komma:
Sie ging ins Haus; die Kinder folgten ihr.
Jan ging nicht sofort ins Haus; er schaute sich erst den Garten an.

Das Semikolon trennt in Aufzählungen Gruppen gleichrangiger Wörter und Wortgruppen stärker als das Komma:
Die Fähre transportiert Autos, Motorräder, Züge; Getreide, Gemüse, Obst; Tiere,
Menschen.

9.15 Gedankenstrich

 48

Zusätze oder Nachträge kann man (statt mit Kommas) auch mit Gedankenstrichen abgrenzen

– bei angekündigten oder nachträglich angesprochenen Infinitiv-, Partizip- und anderen Wortgruppen:

Darauf – im Buchladen stöbern zu können – freute er sich.

Daran – das Buch zu verleihen – dachte sie nicht.

Das – morgen nach Hause fahren zu können – war ihr großer Wunsch.

So – von Zweifeln getrieben – eilte er nach Hause.

Die beiden – Hänsel und Gretel – verirrten sich im Wald.

Im Buchladen stöbern zu können – darauf freute er sich.

Das Buch zu verleihen – daran dachte sie nicht.

Morgen nach Hause fahren zu können – das war ihr großer Wunsch.

Von Zweifeln getrieben – so eilte er nach Hause.

Hänsel und Gretel – die beiden verirrten sich im Wald.

38

– bei Appositionen:

Herr Lager – der Direktor – feierte seinen Geburtstag.
Meiner Kusine – einer großen Musikliebhaberin – gab er drei Konzertkarten.
In Frankfurt am Main wurde Goethes gedacht – des großen deutschen Dichters.
Die Akte gab er Herrn Maier – dem Abteilungsleiter.

– in nachgestellten Erläuterungen:

Bring bitte Birnen mit – und zwar saftige und reife.
Sie hört gern klassische Musik – besonders Bach und Mozart.
Klassische Musik – besonders Bach und Mozart – hört sie gern.

– bei Einschüben:

Eines Nachts – es war gegen drei Uhr – klingelte das Telefon.
Er wird – das war ein schwieriger Entschluss – nach Australien auswandern.

9.16 Klammern

▶ 48

Zusätze oder Nachträge kann man (statt mit Kommas oder mit Gedankenstrichen) auch mit Klammern abgrenzen,

– bei Appositionen:

Herr Lager (der Direktor) feierte seinen Geburtstag.
Meiner Kusine (einer großen Musikliebhaberin) gab er drei Konzertkarten.
In Frankfurt am Main wurde Goethes gedacht (des großen deutschen Dichters).
Die Akte gab er Herrn Maier (dem Abteilungsleiter).

– in nachgestellten Erläuterungen:

Bring bitte Birnen mit (und zwar saftige und reife).
Sie hört gern klassische Musik (besonders Bach und Mozart).
Klassische Musik (besonders Bach und Mozart) hört sie gern.

– bei Einschüben:

Eines Nachts (es war gegen drei Uhr) klingelte das Telefon.
Er wird (das war ein schwieriger Entschluss) nach Australien auswandern.

9.17 Bindestrich ▶ 48 **39**

Der Bindestrich wird gesetzt

– in Verbindungen mit Einzelbuchstaben:

s-Laut   *A-Dur*   *zum x-ten Mal*

– in Verbindungen mit Abkürzungen:

DFB-Tagung   *Fußball-EM*   *Dipl.-Ing.*

– in Verbindungen mit Ziffern:

8-jährig   *der 8-Jährige*   *8-Tonner*

– in nominal* gebrauchten Aneinanderreihungen:

das Entweder-oder   *das Sowohl-als-auch*   *das Make-up*

– in nominal* gebrauchten Infinitiven mit mehr als zwei Bestandteilen:

das Auf-die-leichte-Schulter-Nehmen   *das Auf-der-Lauer-Liegen*

– in Verbindungen, die eine Zusammensetzung mit Bindestrich enthalten:

A-Dur-Tonleiter   *8-Zylinder-Motor*   *Abend-Make-up*

– bei Zusammensetzungen mit Eigennamen:

Herr Müller-Schnick   *Möbel-Schnack*

Baden-Württemberg   *baden-württembergisch*

Rheinland-Pfalz   *rheinland-pfälzisch*

Heinrich-Heine-Gymnasium   *Johann-Sebastian-Bach-Platz*

Ein Bindestrich kann gesetzt werden

– um einzelne Bestandteile hervorzuheben:

die Mussbestimmung   →   *die Muss-Bestimmung*

der Icherzähler   →   *der Ich-Erzähler*

– um Zusammensetzungen übersichtlicher zu machen:

Arbeiter-Unfallversicherungsgesetz   *Desktop-Publishing*

– um Missverständnisse zu vermeiden:

Brauerzeugnis   →   *Brau-Erzeugnis* oder   *Brauer-Zeugnis*

Musikerleben   →   *Musik-Erleben* oder   *Musiker-Leben*

– um Zusammensetzungen lesbarer zu machen, in denen drei gleiche Buchstaben zusammentreffen:

Teeei   →   *Tee-Ei*   *Kaffeeernte*   →   *Kaffee-Ernte*

Dasssatz →   *dass-Satz*   *Flusssand*   →   *Fluss-Sand*

**nominal:* substantivisch

9.18 Ergänzungsstrich

Der Ergänzungsstrich kennzeichnet einen gemeinsamen Wortbestandteil, der ausgelassen wurde:

be- und entladen	*Hausmänner und -frauen*
saft- und kraftlos	*Abfallsammlung und -verwertung*
Haupt- und Nebenstraßen	*zurückgehen oder -fahren*

9.19 Apostroph

Eigennamen, die auf *-s, -ss, -ß, -tz, -x, -ce* enden, erhalten im Genitiv einen Apostroph:

Markus' Aufsatz	*Grass' Roman*	*Klaus Broß' Katze*
Frau Katz' Laden	*Beatrix' Tasche*	*Alice' Wunderland*

Der Apostroph zeigt an, dass man in einem Wort einen oder mehrere Buchstaben ausgelassen hat:

's wird sehr schwierig.	*sel'ge Menschen*
(= Es wird sehr schwierig.)	(= selige Menschen)
Ku'damm	*D'dorf*
(= Kurfürstendamm)	(= Düsseldorf)

Der Apostroph kann gesetzt werden in schriftlich wiedergegebenen Wörtern der Umgangssprache:

Is' das 'ne Wucht!	*Nehmen S' doch Rücksicht, bitte!*
(= Ist das eine Wucht!)	(Nehmen Sie doch Rücksicht, bitte!)

9.20 Punkt als Abkürzungszeichen

Abgekürzte Wörter kennzeichnet man mit einem Punkt:

Bd. (= Band)	*Bde.* (= Bände)	*Dr.* (= Doktor)	*Jg.* (= Jahrgang)
Nr. (= Nummer)	*Bestell-Nr.* (= Bestellnummer)	*u. A. w. g.* (= um Antwort wird gebeten)	

Der Abkürzungspunkt wird nicht gesetzt bei Maßangaben, bei chemischen Zeichen, bei Abkürzungen durch Großbuchstaben:

g (= Gramm)	*l* (= Liter)	*m* (= Meter)	*DM* (= Deutsche Mark)
Ca (= Kalzium)	*P* (= Phosphor)	*O* (= Sauerstoff)	*Zn* (= Zink)
CD (= Compactdisk)	*IG* (= Industriegewerkschaft)	*BGB* (= Bürgerliches Gesetzbuch)	

9.21 Zeichensetzung bei der wörtlichen Rede

Die wörtliche Rede setzt man in Anführungszeichen; geht ein Begleitsatz voraus, so kündigt er die wörtliche Rede mit Doppelpunkt an:

„Ich gehe jetzt zum Einkaufen."

Der Trainer versicherte: „Der Stürmer hat sich nur leicht verletzt."

Ausrufe- und Fragezeichen einer wörtlichen Rede werden immer beibehalten; geht der Begleitsatz nach der direkten Rede weiter oder folgt er, so steht nach dem Abführungszeichen ein Komma:

Sie rief: „Ich komme morgen!"

Sie rief: „Ich komme morgen!", und ging lachend weiter.

„Ich komme morgen!", rief sie.

Sie fragte: „Kommst du morgen?"

Sie fragte: „Kommst du morgen?", und runzelte die Stirn.

„Kommst du morgen?", fragte sie.

Ausrufe- und Fragezeichen der wörtlichen Rede werden auch dann beibehalten, wenn der Begleitsatz ein Ausruf oder eine Frage ist:

Sag ihm: „Komm endlich!"!

Fragtest du: „Wann kommt er?"?

Ist die wörtliche Rede ein Aussage- bzw. Feststellungssatz, dann entfällt der Schlusspunkt, wenn der Begleitsatz nach der wörtlichen Rede weitergeht oder folgt; nach dem Abführungszeichen steht dann ein Komma:

Er versprach: „Ich komme morgen", und fuhr davon.

„Ich komme morgen", versprach er.

Der Schlusspunkt entfällt auch, wenn der Begleitsatz ein Ausruf oder eine Frage ist:

Sag ihr: „Er kommt morgen"!

Hat sie gesagt: „Er kommt morgen"?

Ist der Begleitsatz in die direkte Rede eingeschoben, dann wird er von Kommas eingeschlossen:

„Ich komme morgen", meinte er, „zum Essen."

„Komm doch morgen", rief er, „zum Essen!"

„Kommst du morgen", fragte er, „zum Essen?"

9.22 Anführungszeichen bei Titeln

Buchtitel, Titel von Theaterstücken, Namen von Zeitschriften und Überschriften kennzeichnet man mit Anführungszeichen:

Sie lasen Annette von Droste-Hülshoffs „Judenbuche".

Kennen Sie Heinrich Bölls „Wo warst du, Adam?"?

Im „Leipziger Anzeiger" erschien ein Artikel mit der Überschrift „Chance für Schulz".

Der Pfeil ◀ mit der vorangestellten Seitenzahl verweist auf den reformierten Regelteil.

5 ◀ Schärfung

Bisher schrieb man

Tip, Mesner, Mop (= Staubbesen), *As, Karamel, Step (Steptanz), Tolpatsch*

Jetzt wendet man die Regel an, dass in stammverwandten Wörtern die Schreibung beibehalten wird. Das gilt für:

tippen – Tipp, moppen – Mopp, die Asse – das Ass, Karamelle – Karamell,

steppen – Stepp (Stepptanz)

Der *Tollpatsch* ist nun stammverwandt mit *toll.* Der *Messner* wird nun der Wortfamilie *Messe* zugeordnet, kann aber weiterhin *Mesner* (oder auch *Mesmer*) geschrieben werden.

Bisher schrieb man

fritieren

Jetzt schreibt man

frittieren (aber weiterhin: *Friteuse*)

6 ◀ Schreibweisen langer Vokale

Bisher schrieb man

Känguruh, rauh

Jetzt wird die Schreibung angeglichen:

Känguru wird geschrieben wie *Gnu, Emu, Kakadu; rau* wie *blau, genau* usw.

8 ◀ Umlaute

Bisher schrieb man

belemmert, einbleuen, verbleuen, Bendel, behende, Stengel, Gemse, Quentchen,

überschwenglich

Jetzt werden die Wörter den in der Regel genannten Wortfamilien zugeordnet. Und anderen Wörtern entsprechend wird *a* zu *ä* umgelautet:

belämmert, einbläuen, verbläuen, Bändel, behände, Stängel, Gämse, Quäntchen,

überschwänglich

9 ◀ s-Laute

Bisher schrieb man nach einem betonten kurzen Vokal vor Konsonant und am Wortende *ß*, wenn in anderen Formen des Wortes *ß* oder *ss* stand:

küssen – Kuß – hat geküßt

Jetzt schreibt man nach einem betonen kurzen Vokal immer *ss*:

küssen – Kuss – hat geküsst

10 ◀ Eigennamen

Bisher schrieb man:

der blaue Planet, der große Teich, der deutsche Schäferhund

Jetzt sind die Begriffe zu Eigennamen geworden:

der Blaue Planet, der Große Teich, der Deutsche Schäferhund

Ebenfalls großgeschrieben werden folgende Adjektive als Teil des Eigennamens:

das Hohe Lied, der Hohe Priester, der Kalte Krieg

Keine Eigennamen mehr sind:

die erste Hilfe, das goldene Zeitalter, der letzte Wille, das schwarze Brett, die schwarze Kunst, der schwarze Peter, der schwarze Tod, der weiße Tod

11 ◀ Als Nomen* gebrauchte Wörter

Bisher schrieb man die folgenden Adjektive und Partizipien klein, obwohl sie einen Begleiter bei sich haben:

das erste beste, des weiteren, den kürzeren ziehen, um ein beträchtliches, auf dem laufenden sein, im großen und ganzen, im folgenden, ins reine bringen, nicht im entferntesten, am alten hängen, im allgemeinen, sich im klaren sein, jeder beliebige, alle folgenden

Jetzt werden diese Adjektive und Partizipien großgeschrieben, weil ihnen das Nomenmerkmal „Begleiter" vorausgeht.

Weiterhin kleingeschrieben werden feste Verbindungen (ohne vorangehenden Artikel) wie *von fern, durch dick und dünn, über kurz oder lang, von neuem, bis auf weiteres, ohne weiteres, seit längerem*

Bisher wurden die mit „wie?" zu erfragenden Wendungen mit *auf das/aufs (schönste)* kleingeschrieben.

Jetzt kann man zwischen Klein- und Großschreibung wählen.

Bisher wurden folgende Wörter kleingeschrieben:

der einzelne, bis ins einzelne, im einzelnen, der letzte, bis ins letzte, das letzte, das mindeste, nicht im mindesten, die übrigen

Jetzt schreibt man sie groß (Nomenmerkmal: Begleiter).

*Nomen: Substantiv

Weiterhin kleingeschrieben werden:

viele, das viele, die vielen,   wenige, ein wenig, das wenige, die wenigen
das meiste, die meisten
der (die, das) andere, die anderen, alles andere, unter anderem,
die einen und die anderen

13 ◀ Nomen* auf -heit, -keit, -nis, -schaft, -tum, -ung

Bisher schrieb man
Roheit, Zäheit

Jetzt folgt man der Regel, dass in Wortzusammensetzungen die einzelnen Bestandteile erhalten bleiben:
Rohheit, Zähheit

14 ◀ Bezeichnungen für Farben und Sprachen

Bisher wurde *auf deutsch, auf englisch, in deutsch, in englisch* usw. als Artangabe kleingeschrieben. Großgeschrieben wurde *in Deutsch*, wenn damit „in der deutschen Sprache" gemeint war.

Jetzt werden die mit Präpositionen verbundenen Bezeichnungen großgeschrieben.

14 ◀ Zeitangaben

Bisher schrieb man z.B. *nächsten Dienstag abend, am Dienstag abend* usw.
Die Tageszeiten nach den Adverbien *heute, gestern, vorgestern, morgen* wurden kleingeschrieben, z.B. *heute abend, gestern mittag* usw.

Jetzt wird die Großschreibung der Nomen* und die Kleinschreibung der Adverbien konsequent durchgehalten, z.B. *nächsten Dienstagabend, am Dienstagabend, heute Abend, gestern Mittag* usw.

15 ◀ Zahlwörter

Bisher unterschied man zwischen Rang- und Reihenfolge:
der achte (in der Reihenfolge), *der Achte* (in der Rangfolge)

Jetzt ist dieser Unterschied aufgehoben: *der Achte* – in Rang- und Reihenfolge.

Bisher schrieb man z.B. groß:
mit Achtzig, Mitte der Achtzig, der Mensch über Achtzig, in die Achtzig kommen

Jetzt wird das Zahlwort kleingeschrieben: *mit achtzig, Mitte der achtzig* usw.

---

*Nomen: Substantiv

16 ◀ Verbindungen mit *Mal* und *-mal(s)*

Bisher standen in manchen Wortgruppen Groß- und Kleinschreibung nebeneinander, z.B.:

das erste Mal – das erstemal, das letzte Mal – das letztemal,
beim/zum ersten Mal – beim/zum erstenmal

Jetzt wird in solchen Wortgruppen nach einem Nomenbegleiter* großgeschrieben.

16 ◀ Anredepronomen: *Sie – du*

Bisher wurden die Anredepronomen *du, ihr* (und die entsprechenden Possessiv-pronomen *dein, euer* usw.) in Briefen großgeschrieben.

Jetzt werden sie immer kleingeschrieben.

17 ◀ Zusammen- und Getrenntschreibung

Bisher war dieser Bereich der Rechtschreibung nur unzulänglich geregelt. Und für die häufig auftretenden Zweifelsfälle galt die Regel: Im Zweifel schreibt man getrennt.

Die wichtigsten Hinweise, mit denen die Zusammen- und Getrenntschreibung reguliert werden sollte, waren die Begriffe „eigene/eigentliche Bedeutung" (schreibe getrennt) und „übertragene Bedeutung" (schreibe zusammen). Wie unzureichend diese Begriffe waren, zeigt sich u.a. darin, dass *kennenlernen, sauberhalten, spazierengehen* zusam-mengeschrieben wurden, obwohl kein „neuer" Begriff entstand (wie es z.B. bei *sitzen bleiben = nicht aufstehen* und *sitzenbleiben = nicht versetzt werden* der Fall war).

Merkmale wie „verblasstes Nomen*" und „die Vorstellung der Tätigkeit herrscht vor" führten dazu, dass *Auto fahren* neben *radfahren*, *Ski fahren* neben *eislaufen* stand.

Jetzt wird dieser Bereich durch Merkmale geregelt, die sich mit Hilfe von Proben – vor allem der Steigerungsprobe – überprüfen lassen (vgl. S. 21–24).

So wird jetzt auch klar geregelt, dass z.B. Wortgruppen aus Verb (im Infinitiv) und Verb getrennt geschrieben werden. Das führt dazu, dass beispielsweise *sitzen bleiben* nun immer getrennt geschrieben wird.

Fälle wie *Rad fahren* oder *Eis laufen* werden in der Schreibung nicht einfach bestehen-den Schreibungen „angepasst", sondern deutlich geregelt (vgl. S. 20).

26 ◀ Worttrennung

Bisher wurde *st* in einem Wortstamm oder Grundwort nicht getrennt:

Ki-ste, lä-stig

Jetzt werden *s* und *t* getrennt:

Kis-te, läs-tig

---

*Nomen: Substantiv

Bisher wurde *ck* in *k-k* getrennt, z.B.: *Bäk-ker, Hek-ke.*

Jetzt wird *ck* nicht mehr getrennt: *Bä-cker, He-cke.*

Bisher wurden keine Einzelbuchstaben abgetrennt, z.B.: *Eli-te, Rui-ne.*

Jetzt können Einzelbuchstaben abgetrennt werden: *E-li-te, Ru-i-ne.*

Die Abtrennung von Einzelbuchstaben am Wortende lohnt sich nicht, weil der Trennungsstrich so viel Platz einnimmt wie der Buchstabe (z.B.: *blaue Kleider, genaue Angaben* – nicht: *blau-e Kleider, genau-e Angaben*).

Bisher wurden Wörter wie *hinauf, herauf, warum* usw. nach Wortbestandteilen getrennt:

hin-auf, her-ein, war-um

Jetzt ist auch die Trennung nach Sprechsilben möglich:

hin-auf oder *hi-nauf, he-rein* oder *her-ein, wa-rum* oder *war-um*

27 ◀ Bevorzugte und erlaubte Schreibweisen bei Fremdwörtern

Etliche Fremdwörter wurden „eingedeutscht" bzw. der deutschen Schreibung angepasst. Überdies wird zwischen bevorzugter Schreibung und erlaubter Schreibung unterschieden. Man sollte ein Wörterbuch zu Rate ziehen.

30 ◀ Worttrennung bei Fremdwörtern

Bisher wurden Fremdwörter nach ihren Wortbestandteilen getrennt:

Chir-urg, Hekt-ar

Jetzt ist auch eine Trennung nach Sprechsilben möglich:

Chi-rurg oder *Chir-urg, Hek-tar* oder *Hekt-ar*

Bisher wurden in einigen Fremdwörtern Konsonantenverbindungen mit *l, n* und *r* nicht getrennt:

no-ble, Ma-gnet

Jetzt ist die Trennung möglich:

nob-le oder *no-ble, Mag-net* oder *Ma-gnet*

31 ◀ Komma zwischen Hauptsätzen

Bisher musste zwischen zwei Hauptsätze, die mit *und* bzw. *oder* verbunden sind, ein Komma gesetzt werden.

Jetzt kann man ein Komma setzen, wenn der Satz übersichtlicher gegliedert werden soll.

48

33 ◄ **Komma bei Infinitiv- und**

34 ◄ **Partizipgruppen**

Bisher waren die vielen Regeln zur Kommasetzung bei Infinitiv- und Partizipgruppen zum Teil sehr kompliziert.

Jetzt muss man in diesen Gruppen nur noch dann ein Komma setzen,

– wenn sie zwischen Subjekt und Prädikat treten:
Sie, um schnell nach Hause zu kommen, nahm ein Taxi.
Er, von Schmerzen geplagt, rief den Arzt.

– wenn sie angekündigt werden:
Sie dachte nicht daran, den Hund zu füttern
So, den Hut schwenkend, lief er über die Straße.

– wenn nachträglich auf sie Bezug genommen wird:
Den Hund zu füttern, daran dachte sie nicht.
Den Hut schwenkend, so lief er über die Straße.

– wenn die Partizipgruppe nachgestellt wird:
Er rief den Arzt, von Schmerzen geplagt.
Er lief über die Straße, den Hut schwenkend.

37 ◄ **Gedankenstrich,**

38 ◄ **Klammer**

Bisher wurden Appositionen mit Kommas eingeschlossen oder abgetrennt.

Jetzt können sie auch zwischen oder nach einem Gedankenstrich stehen bzw. mit Klammern eingeschlossen werden.

39 ◄ **Bindestrich**

Bisher wurden in Ziffern geschriebene Zahlen und der Rest des Wortes zusammengeschrieben: *8jährig, 8tonner* usw.

Jetzt muss ein Bindestrich gesetzt werden: *8-jährig, 8-Tonner* usw. Dabei ist auf die Groß- und Kleinschreibung zu achten, z.B.: *8-jährige Kinder, der 8-Jährige.*

Bisher setzte man einen Bindestrich in unübersichtlichen Wortzusammensetzungen mit mehr als drei Teilen:
Arbeiter-Unfallversicherungsgesetz, Straßenverkehrs-Zulassungsordnung

Jetzt kann der Bindestrich auch genutzt werden Wortzusammensetzungen mit weniger als vier Teilen übersichtlicher zu gliedern:
Ballett-Truppe, See-Elefant, Desktop-Publishing

41 ◄ Zeichensetzung bei der wörtlichen Rede

Bisher wurde bei wörtlichen Reden, die Ausrufe-/Befehlssätze oder Fragesätze sind, kein Komma gesetzt, auch wenn der Begleitsatz folgt oder weitergeht:

„Komm jetzt!" rief sie.

„Kommst du jetzt?" fragte sie.

Jetzt wird nach dem Schluss der wörtlichen Rede immer ein Komma gesetzt, wenn der Begleitsatz folgt oder weitergeht:

„Ich komme jetzt", sagte sie.

„Ich komme jetzt!", rief sie.

„Kommst du jetzt?", fragte sie.

Sie sagte: „Ich komme jetzt", und ging zur Tür.

Sie rief: „Ich komme jetzt!", und ging zur Tür.

Sie fragte: „Kommst du jetzt?", und ging zur Tür.

Auf einen Blick: Verzeichnis von Wörtern und Wortgruppen mit neuer Rechtschreibung

Linke Spalte: Wörter und Wortgruppen in der bisherigen Schreibung.

Mittlere Spalte: Wörter und Wortgruppen in der neuen Schreibung. Mit Schrägstrich: zwei Schreibmöglichkeiten.
Ein Sternchen (*) weist darauf hin, dass sich die mit der Reform bevorzugte Fremdwortschreibung gegenüber der bisherigen Schreibweise nicht geändert hat; lediglich eine weitere Form ist hinzugekommen.

Rechte Spalte: Nach der Reform ebenfalls mögliche, aber nicht bevorzugte Schreibung.

Die aufgelisteten Wörter und Wortgruppen sind nur Beispiele:

– Wird *aufeinander treffen* getrennt geschrieben, dann gilt dies entsprechend auch für *aufeinander folgen, aufeinander legen, aufeinander prallen, aufeinander pressen.*

– In der mittleren Spalte wird z.B. unter dem Stichwort *rau* auch das Wort *rauhaarig* aufgeführt. Diese Wortzusammensetzung aus *rau* und *haarig* ist beispielhaft für andere zusammengesetzte Wörter wie *Raubein, raubeinig, Rauheit, Raureif* usw.

bisherige Schreibung	neue Schreibung	weitere Form
Abend		
gestern, heute, morgen abend	gestern, heute, morgen Abend	
abends		
Dienstag abends	dienstagabends/dienstags abends	
aberhundert	aberhundert/Aberhundert	
Aberhunderte	aberhunderte/Aberhunderte	
Abszeß	Abszess	
abwärts		
abwärts gehen		
(= nach unten gehen)	abwärts gehen	
abwärtsgehen		
(= schlechter werden)		
Ach-Laut	Achlaut/Ach-Laut	
Acht (= Aufmerksamkeit)		
achtgeben, achthaben	Acht geben, Acht haben	
sich in acht nehmen	sich in Acht nehmen	
außer acht lassen	außer Acht lassen	
acht …		
(Schreibung mit der Zahl 8:)		
8jährig, der 8jährige	8-jährig, der 8-Jährige	
8mal	8-mal	
der 8tonner	der 8-Tonner	

bisherige Schreibung	neue Schreibung	weitere Form
achte		
der, die, das achte		
(= in der Reihenfolge)	der, die, das Achte	
der, die, das Achte	(Rang- und Reihenfolge)	
(= in der Rangfolge)		
achtzig		
mit Achtzig	mit achtzig (Jahren)	
Mitte der Achtzig	Mitte der achtzig	
der Mensch über Achtzig	der Mensch über achtzig	
in die Achtzig kommen	in die achtzig kommen	
80er Jahre	80er-Jahre/80er Jahre	
ade sagen	Ade sagen	ade sagen
adieu sagen	Adieu sagen	adieu sagen
After-shave-Lotion	Aftershavelotion	
ähnlich		
ähnliches (= solches)	Ähnliches	
und ähnliches (Abkürzung: u.ä.)	und Ähnliches (Abkürzung: u.Ä.)	
alleinstehend	allein stehend	
die Alleinstehenden	die allein Stehenden/	
	die Alleinstehenden	
allerbeste		
... das allerbeste (sehr gut), wenn	... das Allerbeste, wenn	
allgemein		
im allgemeinen (= gewöhnlich)	im Allgemeinen	
allgemeinverständlich	allgemein verständlich	
Alptraum	Alptraum/Albtraum	
alt		
ganz der alte (= derselbe) sein	ganz der Alte sein	
beim alten (Gewohnten) bleiben	beim Alten bleiben	
am alten (Gewohnten) hängen	am Alten hängen	
es beim alten (Gewohnten) lassen	es beim Alten lassen	
alt und jung	Alt und Jung	
(= jedermann)		
Amboß	Amboss	
an Eides Statt	an Eides statt	
anderes		
etwas anderes	etwas anderes,	
	etwas ganz Anderes	
andersdenkend	anders denkend	
aneinandergrenzen, aneinanderlegen	aneinander grenzen, legen	
Angst		
jemandem angst und bange machen	jemandem Angst und Bange ...	

52

bisherige Schreibung	neue Schreibung	weitere Form
anheimfallen, anheimstellen	anheim fallen, stellen	
arg		
im argen liegen	im Argen liegen	
arm und reich	Arm und Reich	
(= jedermann)		
As	Ass	
aufeinandertreffen	aufeinander treffen	
aufsehenerregende Nachrichten	Aufsehen erregende Nachrichten	
auf seiten	aufseiten/auf Seiten	
aufwendig	aufwändig (von Aufwand)/ aufwendig (von aufwenden)	
aufwärts		
aufwärts gehen		
(= nach oben gehen)	aufwärts gehen	
aufwärtsgehen		
(= besser werden)		
Au-pair-Mädchen	Aupairmädchen	
auseinandergehen, auseinanderlaufen	auseinander gehen, laufen	
(= sich trennen)		
auseinandersetzen	auseinander setzen	
(= erklären)		
Ausschuß	Ausschuss	
außer acht lassen	außer Acht lassen	
äußerst		
auf das, aufs äußerste	auf das, aufs äußerste/Äußerste	
außerstand setzen	außerstand/außer Stand setzen	
außerstande sein	außerstande/außer Stande sein	
auswärts		
nach auswärts gehen		
(= aus dem Haus)		
auswärtsgehen	auswärts gehen	
(= mit auswärts		
gerichteten Füßen)		
Balletttänzer	Balletttänzer/Ballett-Tänzer	
Bange		
jemandem bange machen	jemandem Bange machen	
bankrott gehen	Bankrott gehen	
Baß	Bass	
baß erstaunt	bass erstaunt	
Beat generation	Beatgeneration	

bisherige Schreibung	**neue Schreibung**	**weitere Form**
bedeutend		
um ein bedeutendes größer	um ein Bedeutendes größer	
behende	behände (zu Hand)	
beieinander		
beieinander sein		
(= zusammen sein)	(gut) beieinander sein	
gut beieinandersein		
(= gesund sein)		
beieinandersitzen, beieinanderstehen	beieinander sitzen, stehen	
beisammen		
beisammen sein		
(= zusammen sein)	(gut) beisammen sein	
gut beisammensein		
(= gesund sein)		
bekannt		
bekanntmachen		
(= verkündigen, veröffentlichen)	bekannt machen	
bekannt machen		
(= jemanden vorstellen)		
belemmert	belämmert (zu Lamm)	
beliebig		
jeder beliebige	jeder Beliebige	
Bendel	Bändel (zu Band)	
besondere		
im besonderen	im Besonderen	
besorgniserregende Zustände	Besorgnis erregende Zustände	
besser		
bessergehen	besser gehen	
(= gesünder werden)		
das Bessere/Beßre	das Bessere/Bessre	
ein Besseres/Beßres	ein Besseres/Bessres	
eines/zum Besseren/Beßren	eines/zum Besseren/Bessren	
beste		
das Beste sein		
(= die beste Sache sein)		
das beste sein	das Beste sein	
(= am besten sein)		
der, die, das erste beste	der, die, das erste Beste	
zum besten geben, haben, halten, stehen	zum Besten geben, haben, halten, stehen	
auf das, aufs beste	auf das, aufs beste/Beste	
(= sehr gut)		

54

bisherige Schreibung	neue Schreibung	weitere Form
bestehenbleiben, bestehenlassen	bestehen bleiben, lassen	
beträchtlich		
um ein beträchtliches größer	um ein Beträchtliches größer	
Bettuch	Betttuch/Bett-Tuch	
bewußt	bewusst	
bewußt machen		
(= mit Absicht machen)		
bewußtmachen	bewusst machen	
(= deutlich machen)		
Bezug		
mit Bezug auf		
in bezug auf	mit/in Bezug auf	
Bibliographie	Bibliografie	Bibliographie
Big Band	Bigband	Big Band
Big Business	Bigbusiness	Big Business
Biographie	Biografie	Biographie
bisherig		
im bisherigen	im Bisherigen	
Biß	Biss	
bißchen	bisschen	
Blackout	Black-out	Blackout
blankpolierte Dosen	blank polierte Dosen	
blaß, bläßlich	blass, blässlich	
Bläßhuhn, Bleßhuhn	Blässhuhn, Blesshuhn	
blau		
der blaue Planet	der Blaue Planet	
(= die Erde)		
ein blaugestreifter Stoff	ein blau gestreifter Stoff	
bläulichgrün	bläulich grün	
blauroter Stoff		
(= ein Stoff in bläulichem Rot)		
blau-roter Stoff	blauroter Stoff	
(= Stoff in Blau und Rot)		
bleibenlassen	bleiben lassen	
blendendweiße Zähne	blendend weiße Zähne	
blondgelockte Haare	blond gelockte Haare	
Bluejeans, Blue jeans	Bluejeans	Blue Jeans
Bonbonniere	Bonbonniere*	Bonboniere
Boß	Boss	
Bouclé	Bouclé*	Buklee
bravo rufen	Bravo rufen	bravo rufen
Bravour	Bravour*	Bravur

bisherige Schreibung	neue Schreibung	weitere Form	**55**

bisherige Schreibung	neue Schreibung	weitere Form
breit		
ein breitgefächertes Angebot	ein breit gefächertes Angebot	
des langen und des breiten	des Langen und des Breiten	
(= umständlich)		
Brennessel	Brennnessel/Brenn-Nessel	
brütendheiße Tage	brütend heiße Tage	
buntgestreifte Stoffe	bunt gestreifte Stoffe	
Busineß	Business	
Centre Court	Centrecourt	Centre Court
Chansonnier	Chansonnier*	Chansonier
Chewing-gum	Chewinggum	
Chicorée	Chicorée*	Schikoree
Choreographie	Choreografie	Choreographie
Cleverneß	Cleverness	
Comeback	Come-back	Comeback
Comic strip	Comicstrip	
Compact Disc	Compactdisc	Compact Disc
Corned beef	Cornedbeef	Corned Beef
Countdown	Count-down	Countdown
Creme	Creme*	Krem/Kreme
Crêpe	Krepp	Crêpe
(= Eierkuchen, Gewebe)		
dasein		
(= zugegen sein)		
da sein	da sein	
(= dort sein)		
dabeisein	dabei sein	
daß	dass	
daß-Satz	Dasssatz/dass-Satz	
dein		
mein und dein verwechseln	Mein und Dein verwechseln	
ein Streit über mein und dein	ein Streit über Mein und Dein	
die Deinen	die deinen/Deinen	
die Deinigen	die deinigen/Deinigen	
das Deine	das deine/Deine	
das Deinige	das deinige/Deinige	
Dekolleté	Dekolletee	Dekolleté
Delphin	Delphin*	Delfin
derartiges	Derartiges	

56

bisherige Schreibung	neue Schreibung	weitere Form
deutsch		
in deutsch/in Deutsch	in Deutsch	
auf deutsch	auf Deutsch	
der deutsche Schäferhund	der Deutsche Schäferhund	
diät leben/Diät halten	Diät leben, halten	
dichtbehaarte Felle	dicht behaarte Felle	
Dienstag		
am Dienstag abend	am Dienstagabend	
dienstags abends/Dienstag abends	dienstagabends/dienstags abends	
an jedem Dienstag abends	an jedem Dienstagabend	
Differenz		
differential	differenzial	differential
differentiell	differenziell	differentiell
Diktaphon	Diktaphon*	Diktafon
doppelt soviel	doppelt so viel	
dortzulande	dortzulande/dort zu Lande	
Dreß	Dress	
dritte		
der, die, das dritte	der, die, das Dritte	
die dritte Welt	die Dritte Welt	
du		
auf du und du	auf Du und Du	
dunkel		
im Dunkeln tappen (= in der Dunkelheit) im dunkeln tappen (= im Ungewissen sein)	im Dunkeln tappen	
dünnbesiedelte Gebiete	dünn besiedelte Gebiete	
durcheinanderbringen	durcheinander bringen	
durcheinanderreden	durcheinander reden	
Duty-free-Shop	Dutyfreeshop	
Dutzende	dutzende/Dutzende von Menschen	
ebensogut	ebenso gut	
Eid		
an Eides Statt	an Eides statt	
eigen		
sein eigen nennen	sein Eigen nennen	
zu eigen geben	zu Eigen geben	
zu eigen machen	zu Eigen machen	
einbleuen	einbläuen (zu blau)	

bisherige Schreibung	neue Schreibung	weitere Form	57
einfach			
es ist das einfachste, wenn ...	es ist das Einfachste, wenn ...		
(= am einfachsten)			
auf das, aufs einfachste	auf das, aufs einfachste/Einfachste		
einwärtsbiegen	einwärts biegen		
einzeln			
der, die, das einzelne	der, die, das Einzelne		
als einzelner	als Einzelner		
jeder einzelne	jeder Einzelne		
bis ins einzelne	bis ins Einzelne		
im einzelnen	im Einzelnen		
einzig			
der, die, das einzige	der, die, das Einzige		
als einziges	als Einziges		
eislaufen	Eis laufen		
eisenverarbeitende Industrie	Eisen verarbeitende Industrie		
eisigkalte Tage	eisig kalte Tage		
Ende			
ein Mensch Ende Achtzig	ein Mensch Ende achtzig		
engbefreundete Menschen	eng befreundete Menschen		
entfernt			
nicht im entferntesten	nicht im Entferntesten		
entschließen			
entschloß	entschloss		
Entschluß	Entschluss		
entweder			
das Entweder-Oder	das Entweder-oder		
ernstzunehmende Vorwürfe	ernst zu nehmende Vorwürfe		
erste			
der, die, das erste	der, die, das Erste		
(= der Reihe nach)			
der, die, das erste beste	der, die, das erste Beste		
fürs erste	fürs Erste		
als erstes	als Erstes		
die Erste Hilfe	die erste Hilfe		
der, die, das erstere	der, die, das Erstere		
ersteres	Ersteres		
essen			
ißt	isst		
Essenz			
essentiell	essenziell	essentiell	
Ethnographie	Ethnographie*	Ethnografie	

58

bisherige Schreibung	neue Schreibung	weitere Form
euer		
die Euren	die euren/Euren	
die Eurigen	die eurigen/Eurigen	
das Eure	das eure/Eure	
das Eurige	das eurige/Eurige	
Existentialismus	Existenzialismus	Existentialismus
existentiell	existenziell	existentiell
Exposé	Exposee	Exposé
expreß	express	
Exzeß	Exzess	
Facette	Facette*	Fassette
fahren		
radfahren	Rad fahren	
Fairneß	Fairness	
Fair play	Fairplay	Fair Play
fallen lassen		
(= aus der Hand gleiten lassen)	fallen lassen	
fallenlassen		
(= aufgeben; äußern)		
Fallout	Fall-out	Fallout
falsch spielen		
(= nicht richtig spielen)	falsch spielen	
falschspielen		
(= betrügerisch spielen)		
Faß	Fass	
Fast food	Fastfood	Fast Food
feind bleiben, sein, werden	Feind bleiben, sein, werden	
fernliegen, fernliegend	fern liegen, fern liegend	
fertig bringen, stellen		
(= im fertigen Zustand		
bringen, stellen)	fertig bringen, stellen	
fertigbringen, fertigstellen		
(= vollenden)		
fettgedruckte Buchstaben	fett gedruckte Buchstaben	
feuerspeiende Berge	Feuer speiende Berge	
finster		
im Finstern tappen		
(= in der Finsternis tappen)	im Finstern tappen	
im finstern tappen		
(= im Ungewissen sein)		
Fitneß	Fitness	

bisherige Schreibung	neue Schreibung	weitere Form	59
fleischfressende Pflanzen	Fleisch fressende Pflanzen		
fließen			
floß	floss		
Floppy disk	Floppydisk	Floppy Disk	
flötengehen (= verlieren)	flöten gehen		
Fluß	Fluss		
flußab, flußauf	flussab, flussauf		
Flußsand	Flusssand/Fluss-Sand		
Fön	Föhn		
(= Haartrockner)	(als Warenzeichen: Fön)		
folgend			
im folgenden	im Folgenden		
das Folgende			
(= das später Genannte)			
das folgende	das Folgende		
(= der Reihe nach)			
folgendes	Folgendes		
Frage			
in Frage stellen	infrage/in Frage stellen		
fressen			
frißt	frisst		
freund bleiben, sein, werden	Freund bleiben, sein, werden		
fritieren	frittieren		
frühverstorbene Menschen	früh verstorbene Menschen		
fürliebnehmen	fürlieb nehmen		
ganz			
im ganzen	im Ganzen		
im großen ganzen	im großen Ganzen		
im großen und ganzen	im Großen und Ganzen		
gargekochtes Fleisch	gar gekochtes Fleisch		
Gäßchen	Gässchen		
gefahrbringende Abenteuer	Gefahr bringende Abenteuer		
gefahrdrohende Folgen	Gefahr drohende Folgen		
gefangennehmen, gefangenge-nommen	gefangen nehmen, genommen		
gegeneinanderstellen	gegeneinander stellen		
geheim			
geheimhalten	geheim halten		
im geheimen	im Geheimen		

60

bisherige Schreibung	neue Schreibung	weitere Form
gehen lassen (= sich verabschieden lassen) gehenlassen (= sich vernachlässigen)	gehen lassen	
Gelaß	Gelass	
gelbgrüner Stoff (= ein Stoff in gelblichem Grün) gelb-grüner Stoff (= ein Stoff in Gelb und Grün)	gelbgrün	
Gemse	Gämse (zu Gams)	
genau		
genaugenommene Worte	genau genommene Worte	
des genaueren	des Genaueren	
auf das, aufs genaueste	auf das, aufs genaueste/Genaueste	
genausogut	genauso gut	
genießen		
genoß	genoss	
Genuß	Genuss	
Geographie	Geographie*	Geografie
geradesitzen, geradestehen (= aufrecht sitzen, stehen)	gerade sitzen, stehen	
geradesogut	geradeso gut	
gering		
geringachten	gering achten	
es geht ihn nicht das geringste an (= gar nichts)	es geht ihn nichts das Geringste an	
nicht im geringsten	nicht im Geringsten	
gerngesehene Gäste	gern gesehene Gäste	
gesamt		
im gesamten	im Gesamten	
Geschirreiniger	Geschirrreiniger/Geschirr-Reiniger	
Geschoß	Geschoss	
gestern abend, morgen, vormittag	gestern Abend, Morgen, Vormittag	
gewinnbringend	Gewinn bringend/ sehr gewinnbringend	
gewiß	gewiss	
gießen		
goß	goss	
Glacé	Glacé*	Glacee

bisherige Schreibung	neue Schreibung	weitere Form	61
gleich			
das gleiche	das Gleiche		
auf das gleiche hinauskommen	auf das Gleiche hinauskommen		
ins gleiche (in Ordnung) bringen	ins Gleiche bringen		
gleich und gleich	Gleich und Gleich		
glühendheißer Sand	glühend heißer Sand		
Grammophon	Grammophon*	Grammofon	
Grand Slam	Grandslam	Grand Slam	
Graphit	Graphit*	Grafit	
Graphologe	Graphologe*	Grafologe	
gräßlich	grässlich		
Greuel	Gräuel (zu Grauen)		
greulich	gräulich (zu Grauen, grauenhaft)		
grellbeleuchtete Bühnen	grell beleuchtete Bühnen		
Grislybär	Grislibär	Grizzlybär	
grob			
aus dem groben arbeiten	aus dem Groben arbeiten		
auf das, aufs gröbste	auf das, aufs gröbste/Gröbste		
groß			
großschreiben	groß schreiben		
(= besonders schätzen)	(in großer Schrift schreiben; besonders schätzen)		
groß schreiben	großschreiben		
(= mit großem Anfangsbuchstaben)	(= mit großem Anfangsbuchstaben)		
im großen	im Großen		
im großen und ganzen	im Großen und Ganzen		
groß und klein	Groß und Klein		
der große Teich	der Große Teich		
(= Atlantik)			
grünblauer Stoff			
(= ein Stoff in grünem Blau)	grünblau		
grün-blauer Stoff			
(= ein Stoff in Grün und Blau)			
Gunst			
zugunsten	zugunsten/zu Gunsten		
Guß	Guss		
gut			
gutgemeinte Ratschläge	gut gemeinte Ratschläge		
gutgehende Geschäfte	gut gehende Geschäfte		
im guten wie im bösen	im Guten wie im Bösen		
jenseits von Gut und Böse	jenseits von gut und böse		
guten Tag sagen	guten Tag sagen/Guten Tag sagen		

62

bisherige Schreibung	neue Schreibung	weitere Form
haftenbleiben	haften bleiben	
halt, Halt		
laut Halt rufen	laut halt rufen/laut Halt rufen	
haltmachen	Halt machen	
Hämorrhoiden	Hämorrhoiden*	Hämorriden
handeltreibendes Gewerbe	Handel treibendes Gewerbe	
hängen bleiben		
(= nicht abhängen)		
hängenbleiben	hängen bleiben	
(= im Gedächtnis bleiben)		
hängen lassen		
(= nicht abhängen)		
hängenlassen	hängen lassen	
(= im Stich lassen)		
Happy-End	Happyend	Happy End
hartgekochte Eier	hart gekochte Eier	
Haß	Hass	
häßlich	hässlich	
haushalten	haushalten/ Haus halten	
heiligsprechen	heilig sprechen	
heimlich tun		
(= unbemerkt etwas tun)		
heimlichtun	heimlich tun	
(= geheimnisvoll tun)		
heißersehnte Ferien	heiß ersehnte Ferien	
hellichter Tag	helllichter Tag	
hellstrahlende Gesichter	hell strahlende Gesichter	
herzlich		
auf das, aufs herzlichste	auf das, aufs herzlichste/	
	Herzlichste	
hier bleiben		
(= an diesem Ort bleiben)		
hierbleiben	hier bleiben	
(= nicht weggehen)		
Hilfe		
hilfesuchende Kinder	Hilfe suchende Kinder	
mit Hilfe	mithilfe/mit Hilfe	
hintereinanderschreiben	hintereinander schreiben	

bisherige Schreibung	neue Schreibung	weitere Form	63
hoch		
hoch und nieder/niedrig	Hoch und Nieder/Niedrig	
(= jedermann)		
das Hohelied	das Hohe Lied	
der Hohepriester	der Hohe Priester	
hofhalten (er hält hof)	Hof halten (er hält Hof)	
hohnlachen	Hohn lachen (ich lache Hohn)/	
	hohnlachen (ich hohnlache)	
homophon	homophon*	homofon
Hosteß	Hostess	
Hot dog	Hotdog	Hot Dog
hundert	hundert/Hundert	
hunderte	hunderte/Hunderte	
100prozentig	100-prozentig	
hundertste	hundertste/Hundertste	
Hungers sterben	hungers sterben	
hurra schreien	hurra/Hurra schreien	
Ich-Laut	Ichlaut/Ich-Laut	
ihr		
die Ihren	die ihren/Ihren	
die Ihrigen	die ihrigen/Ihrigen	
das Ihre	das ihre/Ihre	
das Ihrige	das ihrige/Ihrige	
Imbiß	Imbiss	
imstande sein	imstande/im Stande sein	
in bezug auf	in Bezug auf	
ineinanderfließen	ineinander fließen	
in Frage stellen	infrage/ in Frage stellen	
innesein	inne sein	
instand setzen	instand/in Stand setzen	
I-Punkt	i-Punkt	
irgend		
irgend etwas	irgendetwas	
irgend jemand	irgendjemand	
ißt (zu essen)	isst	
I-Tüpfelchen	i-Tüpfelchen	
ja sagen	Ja sagen/ja sagen	
Jäheit	Jähheit	
Joghurt	Joghurt*	Jogurt
jung und alt	Jung und Alt	
(= jedermann)		

64

bisherige Schreibung	neue Schreibung	weitere Form
Kaffee-Ernte	Kaffeeernte/Kaffee-Ernte	
kahlscheren	kahl scheren	
kalt		
kalt bleiben (= nicht wärmer werden) kaltbleiben (= sich nicht aufregen)	kalt bleiben	
kalt lassen (= nicht erwärmen) kaltlassen (= sich nicht beeindrucken lassen)	kalt lassen	
kalt stellen (= ins Kalte stellen) kaltstellen (= einflußlos machen)	kalt stellen	
der kalte Krieg	der Kalte Krieg	
Känguruh	Känguru (wie Kakadu, Gnu)	
Kanossagang	Kanossagang/Canossagang	
Karamel	Karamell (zu Karamelle)	
Kartographie	Kartographie*	Kartografie
Katarrh	Katarrh*	Katarr
Keep-smiling	Keepsmiling	
kegelschieben	Kegel schieben	
Kennummer	Kennnummer/Kenn-Nummer	
kennenlernen	kennen lernen	
keß	kess	
Ketchup	Ketschup	Ketchup
Kind		
an Kindes Statt	an Kindes statt	
klar		
sich im klaren sein	sich im Klaren sein	
ins klare kommen (= zurechtkommen)	ins Klare kommen	
klasse		
das ist klasse/Klasse	das ist Klasse	
klebenbleiben	kleben bleiben	

bisherige Schreibung	neue Schreibung	weitere Form	65
klein			
kleinschreiben	klein schreiben		
(= geringschätzen)	(= in kleiner Schrift schreiben;		
	gering schätzen)		
klein schreiben	kleinschreiben		
(= mit kleinem Anfangsbuchstaben)	(= mit kleinem Anfangsbuchstaben)		
einen kleinen sitzen haben	einen Kleinen sitzen haben		
im kleinen	im Kleinen		
bis ins kleinste	bis ins Kleinste		
groß und klein	Groß und Klein		
(= jedermann)			
klug reden			
(= verständig reden)	klug reden		
klugreden			
(= alles besser wissen)			
Knockout	Knock-out	Knockout	
kochendheißes Wasser	kochend heißes Wasser		
Koloß	Koloss		
Kommiß	Kommiss		
Kommuniqué	Kommuniqué*	Kommunikee	
Kompaß	Kompass		
Kompromiß	Kompromiss		
Komteß	Komtess		
Kongreß	Kongress		
kopfstehen	Kopf stehen		
K.-o.-Schlag	K.-o.-Schlag*	Ko.-Schlag	
krank schreiben	krankschreiben		
kraß	krass		
Krepp	Krepp	Crêpe	
(= Eierkuchen, Gewebe)			
kurz			
den kürzeren ziehen	den Kürzeren ziehen		
Kuß	Kuss		
lahmlegen	lahm legen		
lang			
des langen und breiten	des Langen und Breiten		
(= umständlich)			
des längeren	des Längeren		
lassen			
läßt	lässt		

66

bisherige Schreibung	neue Schreibung	weitere Form
Last		
zu Lasten	zu lasten/zu Lasten	
laufen		
auf dem laufenden sein	auf dem Laufenden sein	
Layout	Lay-out	Layout
leckschlagen	leck schlagen	
leerstehende Häuser	leer stehende Häuser	
leichtfallen	leicht fallen	
(= ohne Anstrengung)		
es ist ein leichtes	es ist ein Leichtes	
leid		
leid tun	Leid tun	
zuleide tun	zu leide/zu Leide tun	
Leidtragende	Leid tragende/Leidtragende	
letzte		
der, die, das letzte	der, die, das Letzte	
bis zum letzten	bis zum Letzten	
(= ganz genau)		
bis ins letzte	bis ins Letzte	
(= ganz genau)		
der Letzte Wille	der letzte Wille	
der, die, das letztere	der, die, das Letztere	
letzterer	Letzterer	
leuchtendrote Äpfel	leuchtend rote Äpfel	
liebhaben	lieb haben	
liebenlernen	lieben lernen	
liegenbleiben, liegenlassen	liegen bleiben, lassen	
(= vergessen)		
Lithographie	Lithographie*	Lithografie
Live-Show	Liveshow	
Löß	Löss (betonter kurzer Vokal)/	
	Löß (betonter langer Vokal)	
Love-Story	Lovestory	
mal/Mal		
das erste Mal, das erstemal	das erste Mal	
zum ersten Mal, zum erstenmal	zum ersten Mal[e]	
einige Male, einigemale	einige Mal[e]	
etliche Male, etlichemal	etliche Mal[e]	
ein paar Duzend Male,	ein paar Dutzend Mal[e]	
ein paar dutzend mal		
eine Million Male, millionenmal	Millionen Mal[e]	

bisherige Schreibung	neue Schreibung	weitere Form
Malaise	Malaise*	Maläse
Maschineschreiben	Maschine schreiben	
maßhalten	Maß halten	
Mayonnaise	Majonäse	Mayonnaise
Megaphon	Megaphon*	Megafon
mein		
mein und dein nicht unterscheiden	Mein und Dein nicht unterscheiden	
ein Streit über mein und Dein	ein Streit über Mein und Dein	
die Meinen	die meinen/die Meinen	
die Meinigen	die meinigen/die Meinigen	
das Meine	das meine/das Meine	
das Meinige	das meinige/das Meinige	
menschenmöglich		
das, alles menschenmögliche tun	das, alles Menschenmögliche tun	
messen		
mißt	misst	
Mesner	Messner (zu Messe)/Mesner	
	Mesmer	
metallverarbeitende Industrie	Metall verarbeitende Industrie	
mindest		
das mindeste	das mindeste/das Mindeste	
nicht im mindesten	nicht im mindesten/Mindesten	
mißachten	missachten	
mißhellig	misshellig	
mißlich	misslich	
Mißmut	Missmut	
mit Hilfe	mithilfe/mit Hilfe	
Mixed Pickles, Mixpickles	Mixedpickles/Mixpickles	Mixed Pickles
möglich		
das, alles mögliche tun	das, alles Mögliche tun	
(= allerlei)		
sein möglichstes tun	sein Möglichstes tun	
Mop	Mopp (zu moppen)	
(= Staubbesen)		
mündigsprechen	mündig sprechen	
müssen		
muß	muss	
Mut		
zumute sein	zumute/zu Mute sein	
Myrrhe	Myrrhe*	Myrre

68

bisherige Schreibung	neue Schreibung	weitere Form
nachfolgend		
nachfolgendes,	Nachfolgendes,	
im nachfolgenden	im Nachfolgenden	
(= weiter unten)		
nachhinein		
im nachhinein	im Nachhinein	
nächst		
der, die, das nächste	der, die, das Nächste	
als nächstes	als Nächstes	
der nächste, bitte!	der Nächste, bitte!	
nahe		
nahebringen, nahelegen	nahe bringen, legen	
des näheren erläutern	des Näheren erläutern	
nämlich		
der, die, das nämliche	der, die, das Nämliche	
naß	nass	
naßkalt	nasskalt	
nebeneinanderlegen	nebeneinander legen	
nebenstehend		
nebenstehendes, im nebenstehenden	Nebenstehendes, im Neben-	
(= hier neben)	stehenden	
Necessaire	Necessaire*	Nessessär
Negligé	Negligee	Negligé
nein sagen	Nein sagen/nein sagen	
neu		
neueröffnete Läden	neu eröffnete Läden	
aufs neue	aufs Neue	
nieder		
hoch und nieder	Hoch und Nieder	
(= jedermann)		
niedrig		
niedriggesinnte Feinde	niedrig gesinnte Feinde	
hoch und niedrig	Hoch und Niedrig	
(= jedermann)		
Not		
notleidende Tiere	Not leidende Tiere	
not sein, tun, werden	Not sein, tun, werden	
null		
in Null Komma nichts	in null Komma nichts	
auf Null stehen	auf null stehen	
unter Null sinken	unter null sinken	

bisherige Schreibung	neue Schreibung	weitere Form	69
numerieren	nummerieren (zu Nummer)		
Nuß	Nuss		
Nutz			
zunutze machen	zunutze/zu Nutze machen		
O-beinig	o-beinig/O-beinig		
oben			
obenstehende Abschnitte	oben stehende Abschnitte		
das Obenstehende	das oben Stehende/		
	das Obenstehende		
obenstehendes	oben Stehendes/		
	Obenstehendes		
im obenstehenden	im oben Stehenden/		
	im Obenstehenden		
offen			
offen bleiben			
(= geöffnet; ehrlich sein)	offen bleiben		
offenbleiben			
(= ungeklärt sein)			
O-förmig	o-förmig/O-förmig		
oft			
des öfteren	des Öfteren		
Ordonnanz	Ordonnanz*	Ordonanz	
Orthographie	Orthographie*	Orthografie	
Panther	Panther*	Panter	
Pappmaché	Pappmaschee	Pappmaché	
Paragraph	Paragraph*	Paragraf	
parallellaufende Linien	parallel laufende Linien		
Paß	Pass		
passé	passee	passé	
Platitüde	Plattitüde	Platitude	
plazieren	platzieren (zu Platz)		
pleite gehen	Pleite gehen		
polyphon	polyphon*	polyfon	
Portemonnaie	Portmonee	Portemonnaie	
Potenz			
Potential	Potenzial	Potential	
potentiell	potenziell	potentiell	
Präferenz			
präferentiell	präferenziell	präferentiell	

bisherige Schreibung	neue Schreibung	weitere Form
Prozeß	Prozess	
Public Relations	Publicrelations	Public Relations
pushen	pushen*	puschen
quadrophon	quadrophon*	quadrofon
Quentchen	Quäntchen (zu Quantum)	
quergehen	quer gehen	
(= missglücken)		
radfahren	Rad fahren	
radschlagen	Rad schlagen	
Rand		
zu Rande kommen	zurande/zu Rande kommen	
Rat		
ratsuchende Eltern	Rat suchende Eltern	
zu Rate ziehen	zurate/zu Rate ziehen	
rauh	rau	
rauhhaarig	rauhaarig	
recht behalten, bekommen, haben	Recht behalten, bekommen, haben	
Rechtens sein	rechtens sein	
Regreß	Regress	
reich		
reichgeschmückte Tische	reich geschmückte Tische	
arm und reich	Arm und Reich	
(= jedermann)		
rein		
reinseidene Blusen	rein seidene/reinseidene Blusen	
ins reine kommen	ins Reine kommen	
ins reine schreiben	ins Reine schreiben	
im reinen sein	im Reinen sein	
reißen		
riß	riss	
richtig		
richtiggehende Uhren	richtig gehende Uhren (aber: richtiggehend = vollkommen, völlig)	
das einzig richtige tun	das einzig Richtige tun	
(= das, was am richtigsten ist)		
das richtigste sein	das Richtigste sein	
(= am richtigsten sein)		

bisherige Schreibung	neue Schreibung	weitere Form
Riß	Riss	
roh		
im rohen fertig sein	im Rohen fertig sein	
aus dem rohen arbeiten	aus dem Rohen arbeiten	
Roheit	Rohheit	
Rommé	Rommee	Rommé
Roß	Ross	
rotglühende Asche	rot glühende Asche	
rückwärtsgehen	rückwärts gehen	
(= sich verschlechtern)		
ruhenlassen	ruhen lassen	
(= nicht in Angriff nehmen)		
ruhigstellen	ruhig stellen	
Rush-hour	Rushhour	
Saisonnier	Saisonnier*	Saisonier
sauberhalten	sauber halten	
Saxophon	Saxophon*	Saxofon
Schande		
zu schanden machen	zuschanden/zu Schanden machen	
schätzenlernen	schätzen lernen	
scheckigbraun	scheckig braun	
scheelblickend	scheel blickend	
Schenke	Schenke (zu ausschenken)/	
	Schänke (zu Ausschank)	
schiefgehen	schief gehen	
(= misslingen)		
schießen		
schoß	schoss	
schlagen		
radschlagen	Rad schlagen	
Schlammasse	Schlammmasse/Schlamm-Masse	
schlappmachen	schlapp machen	
schlechtgelaunt	schlecht gelaunt	
Schlegel	Schlägel (Schlagwerkzeug)/	
(= Schlagwerkzeug, Keule)	Schlegel (Keule, z.B. vom Reh)	
schließen		
schloß	schloss	

bisherige Schreibung	neue Schreibung	weitere Form
schlimm		
auf das, aufs schlimmste	auf das, aufs schlimmste/	
verprügelt werden (wie?)	Schlimmste verprügelt	
	werden (wie?)	
	Aber: auf das, aufs Schlimmste	
	vorbereitet sein (worauf?)	
Schloß	Schloss	
Schluß	Schluss	
schlußfolgern	schlussfolgern	
schmeißen		
schmiß	schmiss	
Schmiß	Schmiss	
schmutziggrau	schmutzig grau	
Schnelläufer	Schnellläufer/Schnell-Läufer	
schneuzen	schnäuzen (zu Schnauze)	
Schoß	Schoss	
(= junger Trieb)		
schräglaufende Linien	schräg laufende Linien	
schrecklich		
auf das, aufs schrecklichste	auf das, aufs schrecklichste/	
zugerichtet werden (wie?)	Schrecklichste zugerichtet	
	werden (wie?)	
	Aber: auf das, aufs Schrecklichste	
	gefasst sein (worauf?)	
schreien		
geschrie[e]en	geschrien	
Schuld		
schuld geben, haben, sein	Schuld geben, haben	
	Aber: schuld sein	
zuschulden kommen lassen	zuschulden/zu Schulden kommen	
	lassen	
Schuß	Schuss	
schwachbevölkerte Gebiete	schwach bevölkerte Gebiete	
schwarz		
aus schwarz weiß machen	aus Schwarz Weiß machen	
das Schwarze Brett	das schwarze Brett	
die Schwarze Kunst	die schwarze Kunst	
der Schwarze Peter	der schwarze Peter	
der Schwarze Tod	der schwarze Tod	

bisherige Schreibung	neue Schreibung	weitere Form	73
schwer			
schwerbehindert	schwer behindert		
	(aber: schwerstbehindert)		
schwerfallen	schwer fallen		
(= Mühe bereiten)			
schwernehmen	schwer nehmen		
(= zu Herzen nehmen)			
Schwimmeister	Schwimmmeister/		
	Schwimm-Meister		
Science-fiction	Sciencefiction		
See-Elefant	Seeelefant/See-Elefant		
sein			
seinlassen	sein lassen		
die Seinen	die seinen/Seinen		
die Seinigen	die seinigen/Seinigen		
das Seine	das seine/Seine		
das Seinige	das seinige/Seinige		
Seismograph	Seismograph*	Seismograf	
Seite			
auf seiten	aufseiten/auf Seiten		
von seiten	vonseiten/von Seiten		
selbstgebackener Kuchen	selbst gebackener Kuchen		
selbständig	selbstständig/selbständig		
seligpreisen	selig preisen		
Sequenz			
sequentiell	sequenziell	sequentiell	
seßhaft	sesshaft		
S-förmig	s-förmig/S-förmig		
Shopping-Center	Shoppingcenter		
Short story	Shortstory	Short Story	
Shrimp	Schrimp/Shrimp		
sicher			
auf Nummer Sicher gehen	auf Nummer sicher/Sicher gehen		
das sicherste sein	das Sicherste sein		
(= am sichersten)			
im sichern sein	im Sichern sein		
(= geborgen sein)			
sitzenbleiben	sitzen bleiben		
S-Laut	s-Laut		
Small talk	Smalltalk	Small Talk	
soviel	so viel		
so daß	sodass/so dass		

bisherige Schreibung	neue Schreibung	weitere Form
Soft Drink	Softdrink	Soft Drink
Soft-Eis	Softeis	
Soft Rock	Softrock	Soft Rock
solch		
ein solches ist mir geschehen	ein solches/Solches ist mir geschehen	
Sonderheit		
insonderheit	in Sonderheit	
sonstig		
das sonstige	das Sonstige	
Soufflé	Soufflé*	Sufflee
sowohl		
das Sowohl-Als-auch	das Sowohl-als-auch	
Spaghetti	Spaghetti*	Spagetti
spazierengehen	spazieren gehen	
speien		
gespi[e]en	gespien	
spleißen		
spliß/spleißte	spliss/spleißte	
sprechen lernen	Sprechen lernen	
sprießen		
sproß	spross	
Sproß	Spross	
Stand		
außerstand setzen	außerstand/außer Stand setzen	
außerstande sein	außerstande/außer Stande sein	
instand halten	instand/in Stand halten	
zustande bringen	zustande/zu Stande bringen	
starkbesiedelte Gebiete	stark besiedelte Gebiete	
statt		
an Eides Statt	an Eides statt	
an Kindes Statt	an Kindes statt	
statt dessen	stattdessen/statt dessen	
steckenbleiben	stecken bleiben	
stehenbleiben	stehen bleiben	
steifhalten	steif halten	
Stengel	Stängel (zu Stange)	
Stenographie	Stenografie	Stenographie
Steptanz	Stepptanz (zu steppen)	
Stereophonie	Stereophonie*	Stereofonie
Stewardeß	Stewardess	
stiftengehen	stiften gehen	

bisherige Schreibung	neue Schreibung	weitere Form
still		
stillbleiben	still bleiben	
still halten		
(= ruhig halten)	still halten	
stillhalten		
(= dulden)		
still sitzen		
(= ruhig sitzen)	still sitzen	
stillsitzen		
(= unbeschäftigt sein)		
still stehen		
(= ruhig stehen)	still stehen	
stillstehen		
(= aufhören)		
im stillen	im Stillen	
(= unbemerkt)		
Stilleben	Stillleben/Still-Leben	
Stoffetzen	Stofffetzen/Stoff-Fetzen	
strengnehmen, strenggenommen	streng nehmen, genommen	
Streß	Stress	
Stukkateur	Stuckateur (zu Stuck)	
Substanz		
substantiell	substanziell	substantiell
tabula rasa machen	Tabula rasa machen	
Tag		
zutage bringen	zutage/zu Tage bringen	
Talk-Show	Talkshow	
Tête-à-tête	Tête-à-tête*	Tete-a-tete
Thunfisch	Thunfisch*	Tunfisch
Tie-Break	Tiebreak	Tie-Break
Tip	Tipp (zu tippen)	
Tolpatsch	Tollpatsch (zu toll)	
Topographie	Topographie*	Topografie
Trekking	Trekking*	Trecking
treuergebene Freunde	treu ergebene Freunde	
trocken		
auf dem trockenen sitzen	auf dem Trockenen sitzen	
(in Verlegenheit sein)		
etwas im trockenen haben,	etwas im Trockenen haben,	
ins trockene bringen	ins Trockene bringen	
(= etwas sicher haben)		

76

bisherige Schreibung	neue Schreibung	weitere Form
Troß	Tross	
trüb		
im trüben fischen	im Trüben fischen	
(= ungewiss sein)		
tschüs	tschüs/tschüss	
Typographie	Typografie	Typographie
übelgelaunte Menschen	übel gelaunte Menschen	
übelnehmen, übelwollen	übel nehmen, wollen	
Überdruß	Überdruss	
übereinanderstellen	übereinander stellen	
überhandnehmen	überhand nehmen	
Überschuß	Überschuss	
überschwenglich	überschwänglich	
	(zu Überschwang)	
übrig		
übrigbleiben, übriglassen	übrig bleiben, lassen	
die übrigen	die Übrigen	
das, alles übrige	das, alles Übrige	
ein übriges tun	ein Übriges tun	
im übrigen	im Übrigen	
U-förmig	u-förmig/U-förmig	
Ultima ratio	Ultima Ratio	
um so mehr, weniger	umso mehr, weniger	
umstehend		
im umstehenden	im Umstehenden	
unbekannt		
Anzeige gegen Unbekannt	Anzeige gegen unbekannt	
unermeßlich	unermesslich	
ungeheuer		
ins ungeheure steigern	ins Ungeheure steigern	
ungewiß	ungewiss	
im ungewissen bleiben, lassen, sein	im Ungewissen bleiben, lassen, sein	
ungezählte kamen	Ungezählte kamen	
(= sehr viele)		
Ungunsten		
zuungunsten	zuungunsten/zu Ungunsten	
unheilverkündende Zeichen	Unheil verkündende Zeichen	
unklar		
im unklaren bleiben, sein	im Unklaren bleiben, sein	
unpäßlich	unpässlich	

bisherige Schreibung	neue Schreibung	weitere Form	77
unrecht bekommen, haben	Unrecht bekommen, haben		
unser			
die unseren	die unseren/Unseren		
die Unsrigen	die unsrigen/Unsrigen		
das Unsere	das unsere/Unsere		
das Unsrige	das unsrige/Unsrige		
unten			
untenstehende Abschnitte	unten stehende Abschnitte		
das Untenstehende	das unten Stehende/		
	das Untenstehende		
untenstehendes	unten Stehendes/Untenstehendes		
im untenstehenden	im unten Stehenden/		
	im Untenstehenden		
untereinanderschreiben	untereinander schreiben		
unzählige kamen	Unzählige kamen		
(= sehr viele)			
Varieté	Varietee	Varieté	
verbleuen	verbläuen (zu blau)		
verborgen			
im verborgenen	im Verborgenen		
verdrießen			
verdroß	verdross		
Verdruß	Verdruss		
vereinzelte kamen	Vereinzelte kamen		
(= einige)			
vergessen			
vergißt	vergisst		
Vergißmeinnicht	Vergissmeinnicht		
Verlaß	Verlass		
verlorengeben, verlorengehen	verloren geben, gehen		
verschieden			
verschiedene, verschiedenste kamen	Verschiedene, Verschiedenste		
(= einige)	kamen		
verschiedenes, verschiedenstes	Verschiedenes, Verschiedenstes		
(= manches)			
verschleißen			
verschliß	verschliss		
vertrauenerweckende Maßnahmen	Vertrauen erweckende		
	Maßnahmen		
V-förmig	v-förmig/V-förmig		

bisherige Schreibung	neue Schreibung	weitere Form
viertel		
um Viertel acht	um viertel acht	
	(aber: Viertel vor acht)	
vis-à-vis	vis-a-vis	
voll		
volladen, vollmachen	voll laden, machen	
ins volle greifen	ins Volle greifen	
aus dem vollen schöpfen	aus dem Vollen schöpfen	
voneinandergehen	voneinander gehen	
von seiten	vonseiten/von Seiten	
vorangehen		
im vorangehenden	im Vorangehenden	
voraus		
im, zum voraus	im, zum Voraus	
vorausgehen		
im vorausgehenden	im Vorausgehenden	
vorhergehend		
im vorhergehenden	im Vorhergehenden	
vorhinein		
im vorhinein	im Vorhinein	
vorliebnehmen	vorlieb nehmen	
vorschießen		
schoß vor	schoss vor	
Vorschuß	Vorschuss	
vorwärtsbringen	vorwärts bringen	
(= fördern)		
vorwärtsgehen	vorwärts gehen	
(= besser werden)		
Waggon	Waggon*	Wagon
Walroß	Walross	
warmhalten	warm halten	
(= die Gunst erhalten)		
wasserabweisender Stoff	Wasser abweisender Stoff	
Weg		
zuwege bringen	zuwege/zu Wege bringen	
weichgeklopftes Leder	weich geklopftes Leder	
weichmachen	weich machen	
weiß		
weißgekleidete Menschen	weiß gekleidete Menschen	
aus schwarz weiß machen	aus Schwarz Weiß machen	

bisherige Schreibung	neue Schreibung	weitere Form	79
weit			
im, des weiteren	im, des Weiteren		
Weltkrieg			
der erste/Erste Weltkrieg	der Erste Weltkrieg		
wesentlich			
im wesentlichen	im Wesentlichen		
Wettauchen	Wetttauchen/Wett-Tauchen		
widereinanderstoßen	widereinander stoßen		
Wiedersehen			
auf Wiedersehen sagen	auf Wiedersehen sagen/		
	Auf Wiedersehen sagen		
wissen			
wußte	wusste		
wohltun	wohl tun		
wundliegen	wund liegen		
Wunder			
er hat wunder was getan	er hat Wunder was getan		
x-beinig	x-beinig/X-beinig		
Zäheit	Zähheit		
zahllose, zahlreiche kamen	Zahllose, Zahlreiche kamen		
(= viele)			
Zäpfchen-R	Zäpfchen-r/Zäpfchen-R		
Zeit			
eine Zeitlang	eine Zeit lang		
Zierat	Zierrat		
Zoo-Orchester	Zooorchester/Zoo-Orchester		
zueinanderfinden	zueinander finden		
(= sich zusammenfinden)			
zufriedenstellen	zufrieden stellen		
(= befriedigen)			
zugrunde gehen, richten	zugrunde/zu Grunde		
	gehen, richten		
zugunsten	zugunsten/zu Gunsten		
zu Lasten	zulasten/zu Lasten		
zuleide	zuleide/zu Leide		
zumute	zumute/zu Mute		
Zungen-R	Zungen-r/Zungen-R		
zupaß kommen	zupass kommen		
zu Rande kommen	zurande/zu Rande kommen		
zu Rate ziehen	zurate/zu Rate ziehen		

80

bisherige Schreibung	neue Schreibung	weitere Form
zuschanden machen	zuschanden/zu Schanden machen	
zuschulden kommen lassen	zuschulden/zu Schulden kommen lassen	
Zuschuß	Zuschuss	
zu seiten	zuseiten/zu Seiten	
zustande bringen	zustande/zu Stande bringen	
zutage fördern	zutage/zu Tage fördern	
zuungunsten	zuungunsten/zu Ungunsten	
zuwege bringen	zuwege/zu Wege bringen	

Redaktion: Otmar Käge
Gestaltung und technische Umsetzung: werkstatt für gebrauchsgrafik, berlin

Dieses Werk berücksichtigt die Regeln
der reformierten Rechtschreibung und Zeichensetzung.

1. Auflage ✔   Druck 5 4 3 2   Jahr 99 98 97 96
Alle Drucke dieser Auflage können im Unterricht nebeneinander verwendet werden.

Druck: Fürst & Sohn, Berlin

ISBN 3-464-61201-5

Bestellnummer 612015

 gedruckt auf säurefreiem Papier, umweltschonend hergestellt aus chlorfrei gebleichten Faserstoffen